SÁRU

Cluiche crua é slánú an domhain...

Caoimhe Hegarty
3rd year
Joy

Cluiche crua é slánú an domhain...

ANNA HEUSSAFF

Cló Iar-Chonnacht
An Spidéal
Conamara

An chéad chló 2017
An dara cló 2019

ISBN 978-1-78444-174-6

Dearadh: Deirdre Ní Thuathail
Ealaín an chlúdaigh: Siobhán Ní Thuairisg
Dearadh clúdaigh: Clifford Hayes

Tá Cló Iar-Chonnacht buíoch de Fhoras na Gaeilge as tacaíocht airgeadais a chur ar fáil.

Faigheann Cló Iar-Chonnacht cabhair airgid ón gComhairle Ealaíon.

Tá an t-údar buíoch de Chlár na Leabhar Gaeilge (Foras na Gaeilge) as coimisiún a bhronnadh uirthi i leith an tsaothair seo.

Clóchur: Cló Iar-Chonnacht, An Spidéal, Co. na Gaillimhe.
Teil: 091-593307 **Facs:** 091-593362 **r-phost:** eolas@cic.ie
Priontáil: WG Baird.

Do na léitheoirí óga go léir
a chabhraigh liom leis an scéal seo

Caibidil a hAon

Gáire a chuala Evan ar dtús. Ach ní gáire deas cairdiúil a bhí ann.

Ar an mbus a bhí sé, ag dul abhaile ón scoil. Ansin chuala sé guthanna ar a chúl, iad ag magadh agus ag gáire.

D'fhéach sé thart go tapa. Triúr buachaillí a bhí sa chúlsuíochán. Na buachaillí céanna a labhair leis ag stad an bhus. Bhí siad níos sine ná Evan, agus níos láidre freisin. Ní raibh éide scoile orthu mar a bhí air féin.

Gáire magúil. Cogar mogar agus cúpla focal amach os ard.

"Uaireadóir cliste, a deirim!"

Guth láidir, sotalach. Gach focal le cloisteáil ag Evan anois.

"Tá scáileán beag ar an uaireadóir," arsa an guth go mall. "Chonaic mé é nuair a chuir sé a lámh san aer. Ba mhaith liomsa féachaint i gceart ar an scáileán sin."

Chuir Evan a lámh síos idir a ghlúine. Bhí cluiche ar a uaireadóir, cluiche iontach nua. Nuair a bhí sé ag stad an bhus, chonaic na buachaillí é ag féachaint ar an uaireadóir. D'fhiafraigh siad de go magúil cén t-am é. Bhí siad míshásta nuair nár fhreagair Evan iad.

Ba cheart dom bheith cúramach, arsa Evan leis féin. Chomh luath is a ghluais an bus ón stad, bhí dearmad déanta aige de na buachaillí. Bhí sé ar bís an cluiche a imirt. Chuir sé a lámh san aer chun tús a chur leis agus chonaic siad an t-uaireadóir arís.

Botún a bhí ann an t-uaireadóir a thabhairt ar scoil in aon chor. Chuir sé an cluiche ar siúl ar feadh cúpla nóiméad sa rang mata. Chonaic an múinteoir é agus bhí ar Evan fanacht istigh tar éis am scoile mar phionós. Sin mar a tharla go raibh sé ar an mbus ina aonar agus a chairde imithe abhaile.

Ach ní raibh uaireadóir cliste aige riamh cheana. Ní raibh an cluiche le fáil sna siopaí fós. Bhí daoine ar fud an domhain á thástáil. Bhí comórtas ann agus fuair Evan seans páirt a ghlacadh ann.

"Ní chreidim go bhfaca tú scáileán," arsa guth nua.

"Is cuma liomsa cad a chreideann tú." Bhí an chéad bhuachaill ag éirí crosta.

"Is dócha gur banda aclaíochta atá aige. Fitbit nó rud éigin mar sin."

"Is dócha gur amadán tusa!" Gáire gránna, magúil. "Féachfaimid ar an uaireadóir agus ansin creidfidh tú mé."

Bhí eagla ag teacht ar Evan. Ach dúirt sé leis féin sárú ar an eagla. SÁRÚ an t-ainm a bhí ar an gcluiche. Bhí fadhbanna agus contúirtí móra ag gach leibhéal ann. Bhí ort sárú ar na fadhbanna agus an domhan a thabhairt slán. Bhí an-suim ag Evan a fháil amach conas an domhan a thabhairt slán.

Bhí an bus ar tí stopadh. D'fhéach Evan amach an fhuinneog. Ba mhaith leis imeacht den bhus agus fanacht ar an gcéad cheann eile. Ach bhí báisteach ag titim agus an tráthnóna ag éirí dorcha. Cén fáth nár shuigh sé in aice leis an tiománaí, tar éis do na buachaillí a bheith ag spochadh as ag stad an bhus?

Go tobann, chuala sé guth in aice leis. Guth fuarchúiseach, magúil.

"Hé, a leaidín, abair haileo le do chairde nua!"

Shuigh buachaill amháin in aice leis agus an bheirt eile ar a chúl. Chruinnigh siad thart ar Evan. Choimeád seisean a lámha síos idir a ghlúine.

"Seo, taispeáin d'uaireadóir deas dúinn!" Isteach ina chluas a dúirt an dara buachaill é.

"Crúb an t-ainm a thugann mo chairde orm," arsa an chéad bhuachaill. Rug sé ar smig Evan go garbh. "Tá crúba géara orm, an dtuigeann tú?"

"Déan mar a deirtear leat," arsa an dara buachaill. Ní dúirt an tríú buachaill focal, ach thosaigh sé ag tarraingt ar ghruaig Evan ar chúl a mhuiníl.

Bhí Evan beag dá aois. Bhí na bulaithe níos mó agus níos sine ná é. Ní bheadh seans ar bith aige dá gcuirfeadh sé troid orthu. Ach bheadh sé i dtrioblóid mhór sa bhaile dá sciobfaí an t-uaireadóir. Gheall sé dá mham nach dtabharfadh sé ar scoil é.

Ba í a mham a chuir a ainm síos don tástáil. Bhí sí ag obair le comhlacht nua darb ainm Splanc. Comhlacht beag Éireannach ab ea Splanc a bhí ag obair le comhlacht mór idirnáisiúnta darb ainm Mega. Ba iad Mega a rinne an cluiche SÁRÚ agus a chuir an comórtas ar siúl. Ní raibh aithne ag Evan ar aon déagóir eile a bhí páirteach ann. Fuair a mham an t-uaireadóir ar iasacht ó Splanc agus thug sí d'Evan é.

Bhí an bus ag gluaiseacht arís. Ceithre nó cúig stad eile go dtí eastát Evan i mBaile an Chuain. Rinne sé iarracht seasamh. Dá suífeadh sé in aice leis an tiománaí, thuigfeadh na buachaillí go raibh eagla air. Ach dá bhfanfadh sé ina shuíochán, thógfaidís an t-uaireadóir.

Ní raibh seans ar bith aige éalú. Bhrúigh Crúb síos arís é. Bhí a ingne fada salacha cosúil le crúba an diabhail, mar a chonaic Evan i scannán uafáis uair amháin.

"Gnáthuaireadóir atá ann," ar sé go docht. Bhí deora ina shúile ach ní dhéanfadh sé gol. "Ní faic speisialta é."

"Ó, ní dóigh liom gur fíor sin," arsa Crúb. Rug sé ar lámh Evan go garbh agus shrac sé san aer í. Chonaic Evan an cluiche ag tosú. "An-deas ar fad," arsa Crúb go searbh. "Chuala mé faoi seo ar an idirlíon."

"Inis dúinn," arsa an bheirt eile.

"Cluiche nua ó Mega atá ann." Bhí súile geala fuara Chrúb ag faire ar an uaireadóir. "Tá duaiseanna le fáil ag na daoine a chríochnóidh ar dtús é."

Tharraing an dara buachaill cluas Evan go géar. "Guess what, táimidne go maith ag imirt cluichí. Agus sciobaimid pé rud is maith linn ó leaidíní cosúil leatsa."

Caibidil a Dó

Stad an bus go tobann. Chuala Evan daoine ag siúl i dtreo an dorais. Ach ní raibh seans ar bith aige féin imeacht. Bhí greim docht ag Crúb ar a lámh. Dá screadfadh Evan amach, bheadh gach duine ar an mbus ag stánadh air.

Bhí náire air nach raibh sé in ann stop a chur le Crúb. Bhí pian ina lámh ach bhí an náire níos measa fós ná an phian. Chrom duine de na buachaillí eile i dtreo Evan. Bhí fón aige agus ghlac sé pictiúir de scáileán an uaireadóra.

"Maith an plean, a Phéist!" arsa Crúb. "Cuir na pictiúir sin ar an idirlíon agus tuigfidh an t-amadán seo cé atá i gceannas."

Bhí an bus fós ina stad. Bhí an t-am ina stad. D'oscail Evan a bhéal ach ní raibh sé in ann screadaíl.

Ansin thuig sé go raibh inneall an bhus múchta. Chuala sé guth nua.

"Sibhse! Amach libh go beo!"

Thóg Evan a cheann agus chonaic sé an tiománaí bus in aice lena shuíochán. Bean óg ab ea í. Bhí fearg ina súile. "Ní cheadaím troid ar an mbus seo," ar sí. "Ná bulaíocht d'aon sórt."

Thug Crúb sonc beag d'Evan lena uillinn. Dúirt sé leis an tiománaí nach raibh ar siúl acu ach píosa spraoi. Ach níor chreid an tiománaí é.

"Amach libh láithreach," a d'fhreagair sí. "Tiocfaidh an chéad bhus eile i gceann fiche nóiméad."

Bhí eagla ar Evan go mbeadh air féin imeacht freisin. Ní bheadh seans ar bith aige amuigh ag stad an bhus. Thógfadh na buachaillí an t-uaireadóir agus thabharfaidís droch-chiceáil dó. Bhí an bus amuigh faoin tuath, leathshlí idir an mheánscoil sa Rosán agus teach Evan i mBaile an Chuain.

"Go pras," arsa an tiománaí. "Glaofaidh mé ar na gardaí más gá."

D'fhan Evan ina shuí. D'éirigh an triúr go mall. Bhí nimh i súile geala Chrúb. Ní raibh ainm ná seoladh baile Evan ar eolas ag na bulaithe. Ach bhí pictiúir glactha acu. Bheadh sé an-éasca dóibh leanúint leis an mbulaíocht ar an idirlíon.

"Feicfimid arís go luath thú," arsa buachaill ard tanaí. Rinne sé féin agus Crúb glugar gáire agus iad ag siúl thar bráid. D'fhéach an tríú buachaill siar ar Evan. Ba é siúd a thóg na pictiúir.

Bhí an tiománaí ag labhairt le hEvan. "Do chara

Meiriceánach a d'inis dom faoin mbulaíocht. Ansin d'fhéach mé sa scáthán agus thuig mé an scéal."

"Ceart go leor," arsa Evan go stadach. "Go raibh maith agat." Bhí pianta ina lámh agus ina cheann. Cén cara a bhí i gceist ag an tiománaí? Ní raibh cara ar bith leis ar an mbus.

Shuigh sé siar ina shuíochán nuair a ghluais an bus arís. Bhí an t-uaireadóir cliste fós air. Ní inseodh sé an scéal dá mham ar eagla go dtógfadh sí an t-uaireadóir uaidh. Thaispeáin Evan an cluiche dá chara Rio ag am lóin. D'imir siad le chéile é ar feadh fiche nóiméad. Bheadh seans maith acu duais a fháil sa chomórtas, dar leo.

Bheartaigh Evan go gcuirfeadh sé téacs chuig Rio. Chrom sé chun a mhála scoile a thógáil den urlár. Mála nua a bhí ann, agus lógó Mega air. Bhí Mega mega, mar a dúirt Rio.

Ach ní raibh an mála ar an urlár. Caithfidh gur sciob na buachaillí é. D'fhéach Evan faoi na suíocháin in aice leis. Bhí an bus ag gluaiseacht go tapa agus ba bheag nár bhuail sé a cheann. Ní raibh an mála le feiceáil in aon áit.

Bhuail fíoreagla é an uair seo. Bhí a chuid leabhar scoile agus a chóipleabhair acu. Bhí a ainm scríofa ar na cóipleabhair. B'fhéidir go raibh a sheoladh baile sa dialann scoile. Thiocfadh na bulaithe chuig a theach.

Chuir sé a lámh ina phóca. Bhí an fón aige ar a laghad. Ach bhí a lámh ar crith agus ní raibh sé in ann an téacs a scríobh. Tháinig deora ina shúile arís. Chas sé i dtreo na fuinneoige. Bhí báisteach throm ag sileadh ar an ngloine. Bheadh Crúb agus a chairde fliuch, feargach amuigh ag stad an bhus.

Nó b'fhéidir gur chaith siad an mála ar urlár an bhus, arsa Evan leis féin. Shiúil sé i dtreo an dorais go mall. D'fhéach sé isteach faoi na suíocháin. Chonaic sé cailín ag stánadh air. Labhair bean aosta go cineálta leis, ag fiafraí cad a chaill sé. Thug sé freagra gasta uirthi. Bhí sé trí chéile.

Bhí an bus ag druidim le Baile an Chuain. Dhá stad eile anois. Bheadh air a rá lena mham is a dhaid gur chaill sé an mála. Bhí na leabhair ar cíos aige ón scoil agus bheadh air íoc astu. Labhródh a mham leis an múinteoir bliana. Chuirfidís a lán ceisteanna air.

Shuigh sé ar imeall suíocháin. Chrom sé síos ach ní fhaca sé a mhála Mega in aon áit.

"Cén leibhéal ag a bhfuil tú?"

Bhí cailín ina seasamh in aice leis. An cailín céanna a bhí ag stánadh air cheana. An éide scoile chéanna uirthi agus a bhí ar Evan.

"Cén leibhéal sa chluiche?" Go tapa, mífhoighneach a labhair sí. Blas cainte Meiriceánach a bhí aici. Chlaon sí a ceann i dtreo an uaireadóra.

Chlúdaigh Evan an t-uaireadóir lena lámh dheis. "Tá mo mhála . . ." ar sé go grod. Ach ansin chuimhnigh sé ar chaint an tiománaí. A chara Meiriceánach ar an mbus. Cara nach raibh aithne ar bith aige uirthi.

“An tusa . . . ?” Dhearg sé. “An tusa a d’inis don tiománaí . . . ?”

“Is mé, cinnte,” ar sí, gan mionghháire a dhéanamh. Bhí a srón tanaí agus a cuid gruaige an-ghearr. “Is fuath liom bulaíocht. Ach cad faoi SÁRÚ? Ar thriail tú é a stiúradh ón bhfón?”

Bhí iontas ar Evan go raibh eolas aici ar an gcluiche. B’fhéidir gur mhaith léi an t-uaireadóir a fháil di féin. Ach bhí an ceart aici faoi SÁRÚ. Bhí tú in ann é a stiúradh ón bhfón, chun na pictiúir ar an scáileán beag a thaispeáint ar bhalla mór. Bhí a lán rudaí iontacha sa chluiche.

“An gceapann tú go bhfuil SÁRÚ deacair?” ar sí ansin. Bhí cluasa bioracha uirthi mar a bheadh ar chat. Bhí sí fiosrach, ach ní raibh sí cairdiúil. “Tá mise ag Leibhéal a Dó anois,” ar sí. “Tá na farraigí lán de bhruscar plaisteach agus na héisc ag fáil bháis. Fadhbanna agus contúirtí móra, tá’s agat. Ag Leibhéal a hAon bhí na milliúin teifeach ag éalú óna dtíortha féin.”

Bhí mearbhall ar Evan. An raibh mam nó daid an chailín seo ag obair do chomhlacht Splanc freisin? Ach má bhí sí páirteach sa chomórtas, cén fáth gur chabhraigh sí leis teacht slán ó Chrúb agus a chairde?

Bhí an bus ar tí stopadh arís. “Caithfidh mé imeacht anois,” arsa an cailín. Chroith sí a guaillí. “B’fhearr duit suí in aice leis an tiománaí an chéad uair eile.”

“Em . . . Míle maith agat as cabhrú liom,” arsa

Evan go tapa. Ba chóir dó féin imeacht den bhus ach ní raibh a mhála aige. B'fhéidir go gcabhródh an tiománaí leis é a lorg.

Osclaíodh doras an bhus. Bhí fonn ar Evan leanúint leis an gcomhrá faoi SÁRÚ. Dheifrigh sé go dtí an doras agus amach leis.

Caibidil a Trí

Bhí Rio ag fanacht le hEvan ag stad an bhus. Bhí an tráthnóna fliuch agus sheas sé isteach faoin scáthlán ón mbáisteach. Bhí sé ar bís SÁRÚ a imirt arís.

"Hé, bhfuil sé agat?"

Ghlaoigh Rio amach ar Evan ach níor fhreagair a chara é. Bhí a rothar ag Rio agus bhí daoine a tháinig den bhus ag siúl ina bhealach. Ghlaoigh sé amach arís ar Evan. Ach bhí seisean ag comhrá le duine eile. Dheifrigh Rio timpeall ar chúl an scáthláin lena rothar.

"So tell us an scéal ar fad!" ar sé. Meascán de Ghaeilge agus Béarla a bhíodh ag Rio i gcónaí. "Cad a fuair tú amach faoin leibhéal . . . ?"

Cailín a bhí ag comhrá le hEvan. Bhí sí ag stánadh ar Rio agus grainc uirthi.

"Ó, sorry," arsa Rio leis an mbeirt acu go gealgháireach. "Hope nach bhfuilim ag cur isteach oraibh?"

"Ó, níl . . . Tá . . . Tá brón orm," arsa Evan. Bhí sé trí chéile, pé rud a bhí ag cur as dó. "Níl d'ainm ar eolas agam," ar sé leis an gcailín ansin. "Ach is mise Evan agus . . ."

"Cara," arsa an cailín.

"Cara le cén duine?" arsa Rio.

"Cara is ainm dom," ar sí go crosta.

"Right, Cara!" arsa Rio, agus gáire ag briseadh uaidh arís. "So is dócha gur cara thú le gach duine mar sin . . . ?"

"Cén sórt amadáin tusa? An gceapann tú nár chuala mé an ceann sin cheana?"

Bhí pus ceart ar Chara anois. Leag sí súil ghéar ar Evan agus tharraing sí a mála ar a droim. "Tá sé in am domsa imeacht ar aon nós."

"Fan go fóill," arsa Evan léi. "Bíonn Rio i gcónaí ..."

Ach bhí an cailín ag caint le bean a thuirling den bhus in éineacht léi. Thrasnaigh an bheirt acu an crosbhóthar ag na soilse agus d'imigh siad leo.

"Is amadán thú, ceart go leor," arsa Evan le Rio. "Tá an cluiche nua ag Cara agus bhí sí sásta labhairt faoi."

"Úps agus ochón!" Rinne Rio gáire éadrom. "But seriously, cén sórt duine a éiríonn feargach an nóiméad a dhéantar magadh beag fúthu?"

"Ní ceart magadh a dhéanamh faoi dhaoine nach bhfuil aithne agat orthu."

"Tugann daoine ainmneacha éagsúla ormsa freisin, tá's agat. Rio, ar ndóigh, agus m'ainm ceart

Rian, agus pé rud eile is maith leo féin. Ní chuireann sé isteach orm agus ní thuigim really . . .”

Bhí Evan ag faire sa treo ar imigh Cara agus a compánach. “Níl cónaí uirthi sa cheantar seo,” ar sé, “agus níl a fhios agam cén rang ina bhfuil sí. Tá a lán ar eolas aici faoin gcluiche.”

Bhí glib ghruaige ag titim anuas i súile Rio mar a bhíodh go minic. Bhrúigh sé siar í agus chuimil sé an t-allas dá éadan. Bhí cnoc géar idir a theach féin thíos in aice na farraige agus eastát Evan thuas ag barr an bhaile. Agus bhí báisteach ag sileadh anuas ar a shrón chomh maith leis an allas.

“Alright then, tá brón orm faoi sin go léir,” ar sé le hEvan. “Ach inis dom faoi SÁRÚ? An bhfuil tinneas uafásach ar gach duine anois ón, cad a thug tú air ag am lóin, an pandemic?”

Go grod a d’fhreagair Evan é. “Caithfidh mé dul abhaile. Goideadh mo mhála ar an mbus. Beidh mo mham ar buile.”

“Rachaidh mise leat,” arsa Rio. Shiúil sé taobh lena chara agus a rothar á stiúradh aige. “Bíonn do mham go deas liomsa i gcónaí, tá’s agat.”

Chroith Evan a ghuaillí. Buachaill néata ba ea é de ghnáth, agus bhí iontas ar Rio a fheiceáil go raibh a chuid éadaigh in aimhréidh. Bhí a charbhat scoile leathoscailte agus bóna a sheaicéid brúite. D’fhiafraigh Rio de conas a goideadh a mhála scoile ach ní bhfuair sé freagra. Kinda moody inniu, arsa Rio leis féin. Shiúil siad tamall gan focal a rá.

"Ar thriail tú an projection rud ar d'uaireadóir?" ar sé ar deireadh. "Tá balla mór ar thaobh an lána in aice le do theach, nach bhfuil, agus b'fhéidir . . . ?"

"Bíodh ciall agat," arsa Evan. "Tá deifir orm agus tá an aimsir fliuch."

"Níl sé uafásach fliuch anois, an bhfuil? So, deich nóiméad? Cúig? Bet you nach bhfuil do mham sa bhaile fós." D'fhéach Rio ar a uaireadóir féin – seancheann, ar ndóigh, nach raibh air ach clog. Ní raibh mórán airgid ag a thuismitheoirí féin, ach typical Evan, seans faighte aige cluiche a thástáil nach raibh sna siopaí fós.

Ghéill Evan dó ar deireadh. Stad siad ag cúinne an lána, áit a raibh balla mór lom ar thaobh garáiste. Bhí braonacha báistí fós ag titim agus sheas siad faoi chrann in aice leis an mballa. Bhí Rio ag preabadh ó chos go cos le teann mífhoighne.

D'ardaigh Evan a lámh agus tháinig dathanna geala ar a uaireadóir. Físeán an chluiche a bhí ann. Bhí Evan in ann an fón a úsáid chun an cluiche a stiúradh. Bhí dathanna an fhíseáin le feiceáil go soiléir ar an mballa anois go raibh an tráthnóna ag éirí dorcha.

"Evano an t-ainm atá orm sa chluiche." Rinne Evan meangadh den chéad uair ó d'fhág sé an bus. "An t-ainm céanna a bhíonn orm i ngach cluiche, ar ndóigh."

Bhí Evano le feiceáil ar an bhfíseán ar an mballa. Lasmuigh d'ospidéal a bhí sé. Bhí scuaine ag doras an ospidéil, ag fanacht le dul isteach. Agus bhí daoine eile ina luí ar thaobh an bhóthair, iad chomh tinn nach raibh siad ábalta seasamh sa scuaine.

"Paindéim, mar a dúirt tú," arsa Evan. Go cruinn, glan a labhraíodh seisean Gaeilge, gan meascán teangacha aige riamh. Thaitin sé leis rudaí a dhéanamh go críochnúil. "Tá an tinneas ag scaipeadh go tapa. Sa bholg a thosaíonn sé, agus is iad na seandaoine agus na páistí óga a fhaigheann bás ar dtús. Is galar tógálach é agus tá na dochtúirí agus na banaltraí i gcontúirt freisin."

"Cosúil le disaster movie," arsa Rio go sásta. "So conas a chuirfimid stop leis?"

Bhí Evan ag útamáil leis an bhfón. Tháinig liosta roghanna aníos ar scáileán an bhalla agus léigh Rio amach os ard iad.

"Uimhir a haon, vacsaín nua. Uimhir a dó, cosc ar dhaoine taisteal ar bháid agus ar eitleáin. Uimhir a trí, ospidéil speisialta amuigh faoin tuath do na daoine atá tinn. Uimhir a ceathair, clibeanna leictreonacha. Meaning tags, is dócha." Rinne Rio cúpla soicind machnaimh. "Uimhir a haon, déarfainn?"

Chroith Evan a cheann. "Níl an vacsaín ullamh. Caithfear a lán tástálacha a dhéanamh air fós."

"Trua sin," arsa Rio. "Agus is dócha nach bhfuil drugaí ann don tinneas? Antibiotics nó pé focal a bhí agat ag am lóin, frithbheathaigh things?"

"An chúis leis an bpaindéim ná gur tugadh frithbheathaigh do na daoine i bhfad rómhinic. Agus do na hainmhithe. Anois ní oibríonn na frithbheathaigh agus tá an galar ag éirí níos measa." Bhí cuma an-dáiríre ar Evan. "Chuala mé go bhfuil sin ag tarlú go fírinneach, agus go scaipfidh galair nua de réir mar atá an aeráid ag athrú. Tá sé an-chontúirteach . . ."

"Tá mé cinnte go bhfuil," arsa Rio go héadrom. Ní raibh seisean róbhuartha faoi chúrsaí an domhain mhóir. "Ach meanwhile caithfimidne sárú ar SÁRÚ."

Chuir Evan an físeán ar siúl ar an mballa arís. Chonaic siad a charachtar, Evano, istigh san ospidéal. Rith scata páistí ina threo agus iad ag impí air cabhrú leo. Rómhall a chuir sé lámhainní agus masc air. Rug duine de na páistí ar a lámh. Tháinig dath liath ar chraiceann Evano. Rith sé amach an doras ach bhí dath an bháis ar a aghaidh.

"Tough," arsa Rio. "Tháinig an galar ort go tapa. Gheobhaidh Evano bás anois agus caillfidh tú pointí sa chluiche."

"Níl ag éirí go maith linn go dtí seo," arsa Evan go díomách.

"Agus beidh an imirt níos deacra gach uair a chaillfimid pointí."

Bhí fón Evan ag bualadh. Thóg sé as a phóca é agus stán sé air. "Mo dhaid," ar sé. "Bhí a fhios agam . . ."

"Ná freagair é," arsa Rio go réchúiseach. "Just éist leis an teachtaireacht. Sin mar a dhéanaimse."

Ach bhí an fón lena chluas ag Evan. Mhúch sé scáileán an chluiche lena lámh eile.

"Caithfidh mo mham fanacht istigh ar obair go dtí a naoi a chlog an tráthnóna seo," ar sé, nuair a bhí an glao thart. "Tá mo dhaid ag fiafraí cé mhéad obair bhaile atá le déanamh agam. Beidh orm a insint dó gur chaill mé mo mhála agus mo chóipleabhair."

Caibidil a Ceathair

Drochlá, arsa Evan leis féin. An tráthnóna ag imeacht agus gan am aige SÁRÚ a imirt. Cúig leibhéal a bhí sa chluiche ar fad, é féin agus Rio fós ag Leibhéal a hAon.

"Ach conas mar a thóg buachaill eile do mhála scoile?" a d'fhiafraigh a dhaid de, nuair a thosaigh sé ar an scéal a mhíniú.

"Bhíomar ag pleidhcíocht ar an mbus. Níl a fhios agam go díreach cad a tharla."

Bhí náire ar Evan bréaga a insint dá dhaid. Ach ní raibh sé de mhisneach aige an fhírinne a insint.

"Cad is ainm don bhuachaill a thóg an mála?"

"Níl a fhios agam. Níl sé i mo rang."

"Cén rang ina bhfuil sé, mar sin?"

"Níl a fhios agam. Tá brón orm. Díreach tharla sé . . ."

Bhí sé rómhall anois dul siar ar na bréaga. Sa

deireadh, dúirt a dhaid gur cheart dóibh an mála a lorg. B'fhéidir gur chaith an buachaill é ar thaobh an bhóthair tar éis dó an bus a fhágáil. Thiomáin sé Evan go dtí stad an bhus amuigh faoin tuath. Ní dúirt siad focal sa ghluaisteán.

Thug a dhaid tóirse leis agus chuardaigh siad sna sceacha in aice leis an stad. Bhí bruscar agus cac madraí ar an talamh. Bhí an bháisteach fós ag titim go bog.

Ach lean siad den chuardach agus d'aimsigh siad an mála istigh faoi sceach mhór. Bhí sé deacair é a fheiceáil mar go raibh dath dubh air, ach chonaic Evan lógó Mega ar a thaobh – dath órga ar an litir 'M' anuas ar chúlra dubh agus airgid. Chrom sé agus tharraing sé amach an mála go cúramach. Ar a laghad ní raibh cac madraí faoi na sceacha.

Bhí na leabhair scoile fós sa mhála ach bhí na cóipleabhair agus an dialann scoile imithe. Pé eolas a bhí iontu, bhí an t-eolas sin ag Crúb anois. B'fhéidir go raibh pasfhocal an chomórtais aige.

Drochscéal. Drochlá agus mí-ádh. Botún mór a bhí ann an t-uaireadóir a thabhairt ar scoil. Gach drochrud eile a tharla, thosaigh sé leis sin. An pionós a chuir an múinteoir air, Crúb agus a ghiollaí ag spochadh as, an tráthnóna ar fad ag imeacht amú.

Nuair a d'fhill siad abhaile leis an mála, bhí ar Evan cabhrú lena dhaid an béile a réiteach. Ansin bhí air an obair bhaile a dhéanamh athuair. Ní raibh a dhaid sásta nóta a scríobh don scoil lena rá gur chaill sé a chuid cóipleabhar. Bhí a mham fós ar obair agus a dhaid cantalach. Bhí a dheirfiúr Síofra gnóthach le togra eolaíochta don scoil. Tháinig tuirse agus cantal ar Evan.

Nuair a shroich sé a sheomra codlata ar deireadh, chuir sé an t-uaireadóir cliste air. Fiche nóiméád ag imirt, ar sé leis féin. Leibhéal a hAon a chríochnú. B'fhearr leis smaoineamh ar na fadhbanna sa chluiche ná ar na fadhbanna ina shaol féin.

Chuimhnigh sé go tobann cá raibh pasfhocal SÁRÚ scríofa aige. Ní ina dhialann scoile ná ar an bhfón, ach ar chárta poist sa tarraiceán in aice lena leaba. A mham a chuir an cárta chuige nuair a chuaigh sí ar thuras oibre go dtí cathair Amstardam. Bhí seansráid agus canáil le feiceáil sa phictiúr. Bhí daoine ag rothaíocht agus ag siúl, ag taisteal ar thramanna agus ar bháid. Ní raibh aon duine sa phictiúr ag tiomáint gluaisteáin. Seo é an saol feasta, a dúirt a mham ar an gcárta, nuair a bheidh deireadh le peitreal agus le díosal, agus fuinneamh glas in úsáid i ngach aon áit. Bhí rothar leictreach ceannaithe aici féin nuair a thosaigh sí ina post nua le Splanc.

D'oscail Evan aip SÁRÚ ar an bhfón chun an cluiche a stiúradh. Bhí spás mór ar an mballa os cionn a leapa. Shuigh sé sa dorchadas ag féachaint ar an gcluiche mar a bheadh scannán ar an mballa. Bhí doras a sheomra dúnta aige chun go gceapfadh a dhaid sé go raibh sé ina leaba.

Bhí a imreoir, Evano, beo arís sa chluiche. An uair

seo thiomáin sé thart ar an gcathair. Bhí tinneas agus uafás san aer. Na scoileanna folamh, eagla ar gach tuismitheoir roimh an ngalar. Scuainí lasmuigh de na hollmhargaí, gach duine ag ceannach bia le stóráil sa bhaile.

Thiomáin Evano go dtí an stáisiún teilifíse. Rogha uimhir a dó a thriail sé an uair seo. Chuir sé fógra amach ar an idirlíon nach raibh cead ag aon duine taisteal isteach ná amach as an tír. D'ordaigh sé go ndúnfaí na haerfoirt agus na calafoirt. Ó thíortha eile a tháinig an galar.

Ach theip ar a phlean. D'éirigh an pobal feargach. Níor cheart stop a chur leis an taisteal, ar siad. Cad as a thiocfaidh ár gcuid bia, a bhéic siad, má tá na haerfoirt agus na calafoirt dúnta? Gan trádáil ná turasóireacht, ní bheidh dóthain airgid sa tír. Bhí gach duine ag gearán faoi Evano ar na meáin shóisialta sa chluiche.

Bhí an leigheas níos measa ná an galar. Bhí an eagla níos measa ná an bás. Chaill Evano a lán pointí arís eile. Stop Evan den imirt agus dhún sé a shúile. Ní raibh sé ag sárú ar na dúshláin ag Leibhéal a hAon. Drochlá ar fad.

"Cén fáth go bhfuil tú i do shuí anseo sa dorchadas?"

A dheirfiúr Síofra a d'oscail doras an tseomra. Bhí sí bliain go leith níos sine ná é, agus í sa mheánscoil chéanna. Ba bhreá leis insint di faoin méid a tharla ar an mbus. Ach bhí cúis imní eile ag Síofra.

"Tá Úna ag obair go róchrua," ar sí. "Measaim go bhfuil sí buartha faoina post le Splanc."

Bhí nós nua ag Síofra, a gcéad ainm a thabhairt ar a dtuismitheoirí. Cheap sí go raibh sé níos fásta suas ná 'Mam' agus 'Daid' a rá, ach níor aontaigh Evan léi.

"Ar tháinig Mam abhaile fós?" a d'fhiafraigh sé.

"Níor tháinig. Tá sé a deich a chlog sa tráthnóna agus tá sí fós ar obair."

"Bíonn Daid ag obair go róchrua freisin, nach mbíonn? Imíonn seisean amach roimh a seacht a chlog ar maidin."

"Is fíor sin. Fiú nuair a bhíonn siad sa bhaile, bíonn an bheirt acu ar a ríomhairí an tráthnóna ar fad. Ach ceapaimse go bhfuil Úna níos measa ná Tomás, mar gheall ar an mbrú oibre atá uirthi."

Dhún Síofra an doras ar a cúl agus las sí solas ar a fón. Thuig sí go raibh sé in am d'Evan dul a luí.

"Tá a fhios agat go bhfuil Mega chun Splanc a cheannach?" ar sí go ciúin. "Is comhlacht mór Meiriceánach é Mega. Tá na billiúin euro acu agus níl mórán airgid ag Splanc. Tá a lán daoine buartha faoin scéal. Nuair a bheidh Mega i gceannas, seans nach mbeidh post ann do gach duine atá ag obair do Splanc anois."

"Cé a dúirt sin leat?"

"Chuala mé caint faoi ar scoil. Agus ansin léigh mé cúpla rud ar an idirlíon."

"Ach má tá na billiúin euro ag Mega, cabhróidh

siad le postanna nua a chruthú i mBaile an Chuain. Tá Splanc ag déanamh gléasra a bheidh go maith don timpeallacht, nach bhfuil?"

"Tá siad ag obair ar chosáin a dhéanamh as painéil ghréine," arsa Síofra go díograiseach. "Ginfear leictreachas ó na cosáin agus beidh rothair leictreacha in ann dul orthu freisin. Is plean iontach é sin, is cosúil, ach ba mhaith le Mega cuid den obair a dhéanamh san India agus ní in Éirinn."

D'fhéach Evan suas ar a dheirfiúr. Bhí a craiceann liathbhán faoin solas íseal, agus a cuid gruaige fada fionn mar a bheadh clóca lonrach ar a guaillí. Bhraith Evan go raibh sé féin an-óg agus aineolach i gcomparáid léise. Ach b'fhéidir nach raibh an ceart aici faoi Splanc agus Mega. Bhí branda Mega cáiliúil ar fud an domhain. Ba iad Mega a rinne an cluiche SÁRÚ.

"Is breá le gach duine Mega," ar sé léi. "Féach gur oscail siad an t-ionad nua spóirt in aice leis an gcrosbhóthar, an Mega-Spórt. Ba mhaith leo airgead a chaitheamh i mBaile an Chuain. Ní chaillfidh Mam a post, fan go bhfeicfidh tú."

"Tá súil agam go bhfuil an ceart agat," arsa Síofra. D'fhill sí a lámha ar a chéile agus lig sí osna. "Dúirt Úna go gcabhródh sí liom le mo thogra do chomórtas an Eolaí Óig. Ba mhaith liom rud éigin a dhéanamh faoin athrú aeráide, ach tá sé deacair deis a fháil labhairt léi."

Thosaigh Síofra ag caint faoi na tubaistí aeráide

a bhí ag tarlú ar fud an domhain. Stoirmeacha móra ag tarlú níos minice ná mar a bhíodh. Teas marfach, tíortha gan bháisteach, leibhéal na farraige ag ardú. Ach stop Evan ag éisteacht léi. Leibhéal de shórt eile a bhí ar a intinn. Smaoinigh sé ar sheift nua don chluiche.

Nuair a d'fhág Síofra an seomra, chuir sé SÁRÚ ar siúl arís. Labhair a charachtar Evano ar chlár nuachta istigh sa chluiche. Táimid fós ag obair ar vacsaín a chuirfidh stop leis an bpaindéim, ar sé. Go dtí sin, caithfimid cabhrú lena chéile. Bígí ag obair lena chéile ar an idirlíon. Déanaigí plean i ngach ceantar maidir le soláthar bia agus cúram sláinte. Nuair a bheidh sin déanta, osclóimid na haerfoirt agus na calafoirt.

Scaip an scéal go tapa. Sheas na céadta daoine ag a gcuid fuinneog agus iad ag bualadh bos. Bhí siad dóchasach anois nach scriosfadh an galar iad. Thuill Evano pointí sa chluiche. Bhí Evan an-sásta leis féin. B'iontach an rud é fadhbanna an domhain a réiteach.

Shuigh sé siar ar a leaba. Drochlá, ach dea-scéal amháin faoi dheireadh.

Chuala sé cling ar an bhfón. Teachtaireacht a bhí ann ar Snapchat. Bhí pictiúr de chrúb ainmhí ar an scáileán, agus ingne fada géara air mar a bheadh ar leon. Ceithre fhocal a bhí scríofa ag Crúb.

Táimid ag faire ort.

Ghlan Evan an teachtaireacht. Bhí a chroí ag bualadh go tréan. Bhí a uimhir fóin ag Crúb agus eolas aige ar a chuntais ar na meáin shóisialta. Ach dúirt sé leis féin gan géilleadh don eagla. Dá mbeadh an bua aige féin agus ag Rio sa chomórtas, bheadh an bua acu ar Chrúb.

Bhí rud nó dhó eile le déanamh aige ag Leibhéal a hAon. Shiúil Evano isteach i gcaifé a bhí le feiceáil ar an scáileán, chun eolas a fháil ar an gcéad tasc eile. D'ordaigh sé deoch líomanáide agus d'fhiafraigh sé den fhreastalaí cad é an tasc.

Ach thug an freastalaí sonc láidir sa smig d'Evano. Thug custaiméir buille sa tsrón dó. Dúirt an freastalaí nach raibh paindéim sa chathair ar chor ar bith. *Ná creid focal sa chluiche seo*, arsa an freastalaí.

Mhúch Evan físeán SÁRÚ de gheit. Bhí eagla air go gcaillfeadh sé a chuid pointí arís. Níor thuig sé cad a tharla. An raibh naimhde aige istigh sa chluiche, a bhí ag iarraidh stop a chur leis dul go dtí an chéad leibhéal eile? Nó an lasmuigh den chluiche a bhí siad?

Caibidil a Cúig

"Ní féidir liom an fón a úsáid. Ná dul ar an idirlíon."

"Just faigh uimhir fóin nua. Agus athraigh d'ainm ar gach rud."

"Tógfaidh sé tráthnóna iomlán orm sin a dhéanamh. Cén uair a imreoimid an cluiche?"

"Féach, tá's agam go bhfuair tú loads teachtaireachtaí gránna ó Chrúb aréir. Ach níl an pasfhocal aige don chluiche. So ná lig dó cur isteach ort."

Rinne Evan meangadh le Rio ach ní raibh a chroí ann. Bhí Crúb sa tóir air mar a bheadh mac tíre sa tóir ar choinín. Buachaill misniúil ab ea é, de ghnáth, ach bhí sé deacair cur suas le bulaíocht. Bhí air an fón a mhúchadh an oíche roimhe sin. Chuir Crúb bagairtí chuige ar Messenger, WhatsApp, Snapchat, Twitter agus gach meán sóisialta eile dá raibh ann.

"Ba cheart dúinn bheith ag imirt an chluiche anois," arsa Evan le Rio. "Ach chomh luath is a stop an bháisteach, dúirt mo dhaid liom dul amach faoin aer."

"Same here," arsa Rio. "Is breá leis na tuismitheoirí an t-aer úr. Ach bíonn siad féin ar an ríomhaire níos minice ná mar a bhíonn muidne."

Déardaoin a bhí ann tar éis am scoile. Bhí an bheirt acu ina seasamh lasmuigh den Astroturf i mBaile an Chuain. Leathshlí suas an cnoc a bhí sé, gar don leabharlann agus don ollmhargadh. Bhí slua buachaillí agus cailíní ag imirt peile sa chlós. Bhí na himreoirí ag screadaíl ar a chéile. A gcairde ag glaoch amach orthu ó na taobhlínte. Spraoi agus comrádaíocht san aer.

Ach ní raibh fonn spraoi ar Evan. Níorbh é Crúb amháin a bhí ag cur isteach air, ná SÁRÚ ach oiread. Ní raibh sé sásta ann féin le tamall anuas. Nuair a bhí sé ag spraoi lena chairde, thagadh fonn air bheith ina aonar. Nuair a bhí sé ina shuí sa bhaile, thagadh fonn air rith amach chuig a chairde.

"Níl SÁRÚ cosúil le cluichí eile," ar sé ansin. "Caithfidh tú tascanna a dhéanamh i do shaol féin, chomh maith leis na cinn a dhéanann tú sa chluiche."

"You mean cosúil leis an rud sin a bhí ann ar feadh tamaill? Pokémon Go, nach ea? So caithfidh tú dul amach agus breith ar charachtair ón gcluiche ar an uaireadóir?"

Chroith Evan a cheann. Léigh sé an t-eolas i roghchlár SÁRÚ go moch ar maidin. Na leibhéil éagsúla. Imirt aonair nó grúpimirt. Conas pointí a thuilleamh agus a chailliúint. Tascanna agus fíorthascanna. Grianghraif a thógáil ar an bhfón, mar shampla, agus iad a thaispeáint sa chluiche. Dul ag rith sa pháirc agus eolas a stóráil sa chluiche ar cé chomh tapa a rith tú.

"Má chabhraíonn imreoirí SÁRÚ lena chéile leis na fíorthascanna," a mhínigh sé, "bíonn pointí breise le fáil. Beimid ag sárú ar na fadhbanna, ní hamháin istigh sa chluiche ach sa domhan mór."

"Tuigim," arsa Rio agus meangadh ar a bhéal. "So má tá na fíorthascanna go deas contúirteach, beidh mise breá sásta. Agus tusa freisin by the way, mar bhí tú misniúil nuair a bhí rudaí contúirteacha ar siúl againn cheana."

Dúirt Evan leis féin go raibh an ceart ag Rio. Is ansin a chuala siad an guth in aice leo.

"Bhuel, féach an leaidín cliste." Guth magúil, sotalach. "Evan agus a uaireadóir aoibhinn, cé eile?"

Tháinig Crúb agus a ghiollaí timpeall ar Evan. Bhrúigh siad Rio i leataobh. Caithfidh go raibh siad ag faire orthu ón taobh thall den Astro. Bhí Evan fionn agus éasca a aithint. Ba cheart dó caipín a choimeád ar a cheann an t-am ar fad.

"Tá súil agam go raibh tú sásta leat féin inné," arsa Crúb go mall, bagarthach.

"Tusa go deas teolaí ar an mbus," arsa an buachaill ard, "agus muidne fuar fliuch amuigh sa dorchadas."

"Bhí fonn ar Scrogall thú a thachtadh," arsa Crúb. "Agus bhí an ceart aige."

Ní dúirt an tríú buachaill focal ach bhí a shúile glice ag faire ar Evan. Péist, nó pé leasainm a bhí air. Bhí eagla ar Evan go dtógfadh sé tuilleadh pictiúr le cur ar an idirlíon. Bhí eagla air féachaint ar YouTube an oíche roimhe sin, i gcás gur chuir Péist na pictiúir a thóg sé in airde.

Bhí an triúr acu ag brú isteach ar Evan. D'fhéach sé thart air. Cá raibh Rio? Bhí gach duine san Astro gafa leis an gcluiche peile. Ní raibh aon duine fásta in aice leo. Rug Crúb greim ar lámh Evan agus d'ardaigh san aer í. Nuair a chonaic sé nach raibh an t-uaireadóir air, shrac sé siar a ordóg go nimhneach.

"Lig liom, a dhiabhail," arsa Evan. Ach bhí súile Chrúb chomh fuar le leac oighre an gheimhridh. Lúb sé siar a ordóg go mall, fíochmhar. Thosaigh sé ar a mhéara, á lúbadh ceann ar cheann. Bhuail Evan cic ar Chrúb ach níor chuir sin stop leis.

"Tá d'uaireadóir cliste uainn, a leaidín."

"Beimid ag fanacht leat tar éis am scoile."

"Tá a fhios againn cá bhfuil cónaí ort."

Thaispeáin Crúb a ingne, a bhí tiubh agus salach mar a bheadh ar mhuc. Bhí srón Phéist bog agus bándearg, cosúil le péist sa ghairdín. Bhí Scrogall ard agus tanaí, a mhuineál fada scrogallach cromtha síos os cionn Evan.

Bhí an slua san Astroturf ag screadaíl agus ag spraoi. Bhí Rio imithe as radharc agus Evan ina aonar. An phian ag screadaíl ina lámh. An eagla ag screadaíl ina chroí.

"Scaoil le mo lámh," a dúirt sé go fíochmhar. Rinne sé a mhíle dícheall cic eile a bhualadh ar Chrúb. D'fháisc seisean a lámh mar a dhéanfaí le ciarsúr páipéir.

Ach anois bhí slua ag bailiú thart orthu. Ciceanna agus buillí á landáil. Crúb agus a ghiollaí faoi ionsaí. Thit Evan in aghaidh chlaí an Astroturf. Tharraing Rio ina sheasamh é. Chuir Evan a lámh nimhneach isteach faoina ascaill. Bhí deora lena shúile.

Bhí na himreoirí peile ag cabhrú leis. Caithfidh gur inis Rio dóibh cad a bhí ar siúl ag Crúb. Bhí an cluiche peile ina stad agus cluiche troda ar siúl ina áit.

"Seo leat outta here!" Rio a bhí ag impí ar Evan éalú.

Thuig Evan go raibh an ceart ag a chara. Rith sé timpeall ar thaobh an Astro agus as radharc ar na bulaithe. Pian ina lámh mar a bheadh scian á gearradh. Fearg mar a bheadh tine ina chroí.

Stop sé ag rith nuair a shroich sé an leabharlann. Ach níor theastaigh uaidh dul suas na céimeanna agus isteach an doras. Shleamhnaigh sé timpeall go dtí cúinne dorcha ar thaobh an fhoirgnimh, áit a raibh boscaí agus araid bhruscair. Chas sé a cheann le balla. Thit na deora óna shúile anois go raibh sé ina aonar. Chroith a ghuaillí agus é ag gol go tostach.

"Cad atá cearr leat an uair seo?"

Chuimil Evan a shúile. Cara a bhí ann, an cailín céanna a chabhraigh leis ar an mbus. Caithfidh go bhfaca sí é ag bun na gcéimeanna.

"Seo duit," ar sí. Shín sí ciarsúr glan chuige, gan meangadh ar a béal. Chonaic Evan an t-uaireadóir cliste ar a lámh.

Thóg sé an ciarsúr. Bhí náire air go bhfaca sí ag gol é. Níor chaoin sé os comhair daoine eile ó bhí sé i rang na naíonán sa bhunscoil.

"Labhair le do thuismitheoirí nó le pé duine eile is fearr. Ní féidir leat stop a chur leis na maistíní sin i d'aonar."

D'inis sí d'Evan ansin go raibh sí fós ag Leibhéal a Dó den chluiche. Bhí na milliúin tonnaí de bhruscar plaisteach san fharraige. Bhí an plaisteach ag briseadh ina phíosaí beaga. Shlog na héisc iad agus fuair siad bás. Bhí na hiascairí gan obair. Thriail Cara dhá nó trí réiteach ach níor éirigh léi sárú ar na fadhbanna fós.

"Caoga billiún buidéal plaisteach a théann sa bhruscar ar fud an domhain gach bliain," ar sí. D'fhéach sí go géar ar Evan. Ach bhí seisean fós trí chéile, agus chuir sí a lámh ar a ghualainn go héiginnte. "Smaoinigh air! Craiceáilte, nach bhfuil?"

Chuala Evan fuaim in aice leo. Thiontaigh sé agus chonaic sé Rio ag stánadh orthu.

"Seo an áit ina bhfuil sibh ag cogar mogar," arsa Rio. Ansin d'imigh sé leis gan focal eile a rá.

Caibidil a Sé

Bhí an ghaoth láidir. Tonnta móra ag briseadh ar an trá i mBaile an Chuain. An torann ag méadú agus ag ciúnú. Cúr bán na farraige ag éirí san aer. Scamaill mhóra ag bagairt ó bhun na spéire.

Trá álainn, lá geal samhraidh. Fiú inniu, bhí radharcanna breátha le fáil ar an gcósta agus ar na cnoic. Ach ní raibh suim ag Evan féachaint orthu. Plean iontach a bhí ann teacht go dtí an trá, dar leis, nuair a bhí sé sa bhaile ina sheomra codlata. Anois go raibh sé ann, bhí fonn air dul abhaile.

"An bhfuil na málaí agat?" ar sé le Cara. "Na málaí móra?"

Níor fhreagair sise é. Bhí sí ag útamáil leis an uaireadóir cliste ar a lámh. Bhí Evan neirbhíseach agus é ag féachaint ar a uaireadóir féin. Fuair sé síob abhaile ón scoil an tráthnóna roimhe sin agus níor casadh Crúb ná a ghiollaí air. Beag an seans go dtiocfaidís go dtí an trá maidin Dé Sathairn. Ach mar sin féin, bhí an eagla sin air. Chuimhnigh sé ar na pianta damanta ina lámh. Tharraing sé caipín dorcha ar a cheann chun a chloigeann fionn a chlúdach.

"An nglacfaidh mé cúpla grianghraf ar dtús?" ar sé le Cara. Ach bhí sise ag siúl i dtreo gluaisteáin a bhí páirceáilte ar imeall na trá. Ghlac Evan trí nó ceithre ghrianghraf. An plean a bhí acu ná cabhrú lena chéile le fíorthascanna SÁRÚ. An tasc a bhí ag Evan ag Leibhéal a hAon ná dreas aclaíochta a dhéanamh ar an trá, chun a thaispeáint go raibh a charachtar Evano beo, sláintiúil tar éis dó stop a chur leis an bpaindéim sa chluiche. An tasc a roghnaigh Cara ag Leibhéal a Dó ná bruscar plaisteach ar an trá a ghlanadh.

Mór an trua nach raibh Rio in éineacht leo. Chuir Evan teachtaireacht chuige ach níor fhreagair Rio é. Níor labhair siad mórán le dhá lá anuas, ná níor tháinig Rio chuig a theach chun SÁRÚ a imirt. Bhí air fanacht sa bhaile, a dúirt sé, chun aire a thabhairt dá bheirt dheirfiúracha óga, cúpla a bhí ocht mí d'aois. Chreid Evan an chéad uair é, ach an dara huair a dúirt Rio é, cheap sé gur leithscéal a bhí ann. Agus ní inseodh Rio dó cén fáth go raibh sé míshásta.

Bhí Cara ar a slí ar ais ón ngluaisteán. Shiúil sí go héadrom, faichilleach, mar a dhéanfadh cat. Bhí caipín olla uirthi agus scairf trasna ar a srón, ionas nach raibh ach a súile le feiceáil. Dubh a bhí a súile, a cheap Evan, ach ní raibh sé cinnte de sin. Níor thaitin sé le Cara go mbeadh aon duine ag faire go cúramach uirthi.

"Fanfaidh Lupita sa ghluaisteán," arsa Cara faoina scairf. "Is fuath léi an ghaoth."

Lupita ab ainm don bhean a thiomáin go dtí an trá iad. Meicsiceach ab ea í a thug aire do Chara ó bhí sí an-óg. De réir mar a thuig Evan, bhí cónaí orthu i dteach lasmuigh de Bhaile an Chuain. Bhíodh athair Chara as baile go minic, a thuig sé, agus níor luaigh sí a máthair. Ba í Lupita a bhí ar an mbus in éineacht le Cara ar an gCéadaoin. Bhí comhrá as Spáinnis ar siúl acu sa ghluaisteán. Bean mhór ab ea Lupita, a chuir beagán eagla ar Evan. Ní dúirt sí mórán leis, ach bhí sí fíochmhar ar shlí éigin, dar leis. Gluaisteán mór galánta a bhí á thiomáint aici, agus uimhir neamhghnách air, 10101.

An tráthnóna roimhe sin a thug a mham cead d'Evan dul go dtí an trá. Bhí sí ar a ríomhaire sa chistin, ach cé gur chuir sí cúpla ceist air faoi Chara, níor éist sí go róchúramach leis na freagraí. Is dócha go raibh an ceart ag Síofra faoin mbrú oibre a bhí ar a mham. Bhíodh sí an-fhiosrach faoina chairde de ghnáth, ag iarraidh uimhreacha fóin a dtuismitheoirí agus gach sórt eolais fúthu.

"Rithfidh mé suas síos an trá," ar sé le Cara. Chuir sé an gléas aclaíochta ar an uaireadóir cliste ar siúl. Bhí sé deacair rith in aghaidh na gaoithe ach choimeád sé a cheann casta ón bhfarraige. D'imríodh sé peil ar scoil agus bhí sé réasúnta tapa ar a chosa.

Bhí feamainn ina luí ina sraitheanna buí agus dubha ar an ngaineamh, mar ar fhág an taoide í. Bhí sí fliuch, sleamhain agus d'fhan Evan amach uaithi. Thug sé faoi deara go raibh bruscar measctha leis an bhfeamainn. Chuir sé an físcheamara ar an bhfón ar siúl. Rinne sé taifeadadh ar an mbruscar agus é ag rith.

Buidéil agus málaí plaisteacha. Cannaí stáin. Rópaí gorma níolóin. Caipíní buidéil. Bhí sé dochreidte gur caitheadh na billiúin buidéal sa bhruscar gach bliain, mar a dúirt Cara. Ní raibh plaisteach cosúil le páipéar nó cairtchlár nó adhmad. Thógfadh sé na céadta bliain air lobhadh. Ní fada go mbeadh níos mó plaisteach ná iasc san fharraige.

Nuair a d'fhill sé ón rith, thug Cara cúpla mála mór dubh dó. "Is málaí plaisteacha iad seo freisin," ar sí go gruama. "Ba chóir dúinn málaí páipéir a úsáid."

"Ach is maith an rud é an trá a ghlanadh, nach ea?"

Chorraigh Cara a guaillí. "Is dócha é. Ach beidh an áit ar fad salach arís i gceann seachtaine. Caitheann daoine an bruscar san fharraige, tá's agat, ó longa agus ó bhailte cois cósta. Ansin snámhann an bruscar ar an taoide ó áiteanna atá na céadta míle as seo."

"Léigh mé píosa ar an idirlíon aréir," arsa Evan go díograiseach. "Tá bruscar ar gach trá ar domhan inniu, fiú ar oileáin i lár an aigéin. Chonaic mé pictiúr uafásach de mhíol mór marbh. Nuair a osclaíodh a bholg, bhí sé lán de phlaisteach." Níor fhreagair Cara é agus lean sé ag caint. "Tá sé amaideach go gcuirtear buidéil sa bhruscar tar éis dúinn iad a úsáid uair amháin. Cén fáth nach dtugtar airgead ar ais dúinn ar na buidéil?"

D'oscail Cara amach ceann de na málaí agus thug sí péire lámhainní d'Evan. Chuimhnigh sé arís ar a chara spraíúil Rio. Chuirfeadh Rio ag gáire iad, fiu agus iad ag caint ar na carnáin bhruscair ar fud an domhain. Is beag gáire a dhéanadh Cara.

Obair chrua a bhí ann ag bailiú bruscair. Coiscéim ar choiscéim. Buidéal anseo agus canna ansiúd. An fheamainn sleamhain ina lámha. Gloine bhriste istigh faoi chloch. Thóg Cara cartán folamh bainne as an mála agus chuir sí na píosaí gloine sa chartán go cúramach. Bhí clúidín linbh ar an ngaineamh, é salach, brocach. Chrom Evan agus bhrúigh sé isteach sa mhála é go tapa.

"Nílim sásta leis an tasc seo," arsa Cara tar éis tamaill. Ghlac sí grianghraf anois is arís chun a gcuid oibre a thaispeáint sa chluiche. "Cad is fiú beirt againn anseo? B'fhearr go mór fiche duine as Baile an Chuain amuigh ar an trá gach seachtain. Agus ba chóir do na polaiteoirí cosc iomlán a chur ar phlaisteach go dtí go nglanfar na farraigí go léir."

Bhí díomá ar Evan agus é ag éisteacht léi. B'fhéidir go raibh an ceart aici, ach bhí sí ródhiúltach. Bhí siad óg agus ní raibh siad in ann na fadhbanna go léir a réiteach in aon lá amháin.

"An gceapann tú go bhféadfaí an cluiche a imirt gan na fíorthascanna a dhéanamh?" a d'fhiafraigh sé. "Nó conas a thuigtear istigh sa chluiche gur mise agus tusa atá anseo ar an trá? Abair nár bhacamar teacht anseo ar chor ar bith, ach go bhfuaireamar físeán ar an idirlíon de dhaoine ag bailiú bruscair?"

Bhí Cara ag éisteacht go géar an uair seo. Bhí bior ar a cluasa nuair a d'fhreagair sí é. "Chaith Mega bliain iomlán á thástáil sin. Rinne siad obair mhór ar na bogearraí do na fíorthascanna. Ach má cheapann tú nach n-oibríonn an chuid seo den chluiche, is féidir leat é a rá sa chomórtas."

Bhí iontas ar Evan. "Conas mar atá a fhios agatsa cé mhéad ama a chaith Mega ar an obair?" a d'fhiafraigh sé. "Ar léigh tú ar an idirlíon é?"

Chorraigh sí a guaillí ach níor fhreagair sí é. Chuir Evan ceist eile uirthi. "An leatsa an t-uaireadóir cliste atá agat don chluiche? Nó ar thug duine éigin i gcomhlacht Splanc duit é? Nó duine atá ag obair do Mega?"

Chrom Cara chun píosa miotail a phiocadh suas ón ngaineamh. D'fhan Evan lena freagra ach níor labhair sí arís. Ní fhreagraíodh sí ceist ar bith nár thaitin léi. Bhí sé deacair aithne a chur uirthi, dáiríre. Cat a chuir sí i gcuimhne d'Evan arís eile. Cat a bhíodh ag iarraidh ort bia a thabhairt di, ach a shleamhnaíodh uait nuair a bhí a cuid ite aici.

Bhí na scamaill mhóra os cionn na trá anois agus braonacha báistí ag titim anuas ar an ngaineamh. Thóg Cara an dá mhála dhubha a líon siad go dtí an gluaisteán. Chuir Evan na lámhainní ina phóca agus dhírigh sé a cheamara síos ar an bhfeamainn athuair.

Bhí seisean sásta leis an obair, pé rud a dúirt Cara. Ach ba bhreá leis gnáthchomhrá a dhéanamh léi. B'fhéidir go raibh sí cúthaileach, nó gur cheap sí go raibh sise níos fásta suas ná é féin.

Chliceáil sé ar a uaireadóir. Leibhéal a hAon déanta faoi dheireadh, agus ar aghaidh go dtí Leibhéal a Dó. Fuair sé an téama céanna a bhí ag Cara ag Leibhéal a hAon. Teifigh ag fágáil a dtír féin. Na milliúin daoine ag rith ó chogaíocht, ó bhochtanas agus ó thubaistí aeráide. Iad ag trasnú na farraige i mbáid bheaga chontúirteacha. Cabhair agus fáilte rompu in áiteanna, ach ballaí móra agus daoine feargacha ag cur stop leo in áiteanna eile.

Bhí Cara thall ag an ngluaisteán agus í ag féachaint ar a fón. Chrom Evan in aice le carraig agus thosaigh sé ar an imirt. Chonaic sé Evano ar scáileán a uaireadóra. Bhí Evano taobh istigh de gheata ard. Bhí teifigh taobh amuigh den gheata, daoine brónacha gan bia ná airgead ná dóchas. Bhí gardaí ag an ngeata agus gunnaí acu.

Dhírigh na gardaí a ngunnaí ar an slua. Scread Evano orthu gan na teifigh a ghortú. Ansin tharla rud an-aisteach. Scaoileadh na gunnaí ach níor thit aon duine go talamh. Uisce a tháinig as na gunnaí.

Chuir Evan an t-uaireadóir cliste lena chluas. *Bréaga ar fad atá sa chluiche seo,* a chuala sé. *Ní istigh sa chluiche atá an fhírinne le fáil, ach amuigh sa saol mór.*

Caibidil a Seacht

Bhí an lá fada ar Rio. Ina sheomra codlata a bhí sé, ag imirt Fifa ar an Xbox. Seanchluiche a d'imir sé na mílte uair cheana. Seanghléas a bhí na blianta as dáta. Ceart go leor, trí bliana as dáta. Ach bhí gléasanna nua ag a chairde. Ag cuid dá chairde, anyways.

Bhí níos mó airgid ag a chairde, bhí Rio cinnte de sin. Postanna maithe ag a dtuismitheoirí, ar ndóigh. D'éirigh a mham féin as a post nuair a rugadh an cúpla. Agus post páirtaimseartha i ngaráiste a bhí ag a dhaid. No wonder go raibh siad bocht.

Anois Evan agus a uaireadóir iontach. Bhí Rio ag súil go mór leis an tástáil. Bhí sé níos fearr ag imirt físchluichí ná mar a bhí Evan. Rio an risk taker, Evan ag machnamh go cúramach ar gach rud. An bheirt acu go maith ag obair le chéile. Gach rud go breá sásúil go dtí gur tháinig cara nua Evan ar an scene. Cara, sure. Girlfriend, b'fhéidir. Girlfriend, yuk, ach bhí an cluiche nua aici, lucky her. Evan sona sásta á imirt in éineacht léi agus Rio sa dara háit. B'fhearr leis fanacht sa bhaile agus a sheanchluiche leadránach a imirt.

Evan ag iarraidh air dul ag bailiú bruscair ar an trá leis féin agus le Cara, yippee. Fíorthasc fíorleadránach. Ba cheart do na daoine fásta an trá a choimeád glan. Nó an rialtas, whoever.

Chuala sé téacs nua ag teacht isteach ar an bhfón. Ó Evan a bhí sé. *Ag do theach i gceann 5. Fadhb sa chluiche arís, do chabhair uaim go géar. Ansin bfhedr Mega-Spórt.*

Níor fhreagair Rio an téacs. Evan uaigneach, is dócha, agus a chara álainn Cara imithe abhaile. Cinnte ba mhaith le Rio dul chuig an ionad nua spóirt – but no way má bhí trua ag Evan dó. Thuas an cnoc a bhí an Mega-Spórt. Thuas an cnoc a bhí gach rud snasta nua i mBaile an Chuain. Bhí cónaí ar Rio i seanteach dorcha thíos ag bun an bhaile. Seantroscán, seanpháipéar ar na ballaí, same old seanscéal i gcónaí.

Agus anois bhí a mham buartha go raibh uisce ag sileadh isteach sa teach. Báisteach throm gach lá, splis splais agus an abhainn ag ardú de shíor. Taoide ard ar maidin, ceann níos airde fós le teacht. Uisce sa chlós ar chúl an tí agus seantuáillí timpeall ar na doirse laistigh. Na daoine fásta ag paniceáil. Ach ní raibh uisce ar bith ag sileadh sna tithe thuas an cnoc in eastát Evan.

Ba mhaith le Rio time travel a dhéanamh.

Radharc a fháil ar an saol a bheadh aige i gceann fiche bliain. Post iontach le Mega ag tástáil a gcuid cluichí, airgead mór for definite. Árasán in Shanghai nó Sydney nó Vancouver. Penthouse, cad eile. An ghrian ag lonrú ar an ngléasra úrnua sa chistin, sa seomra folctha, sa seomra cluichí thar aon áit eile. Lógó Mega ar fud na háite, agus dath dubh agus órga ar gach rud, díreach mar a bhí ar an lógó.

Ba chóir do Mega amthaisteal a chur sa chluiche. Seans do na himreoirí cuairt a thabhairt ar an saol i gceann deich nó fiche bliain, nuair a bheadh na world problems réitithe acu. Nó gan iad réitithe, pé acu. Sin an sórt teicneolaíochta a bheadh fíorshuimiúil.

Bhí a mham ag glaoch aníos an staighre air. Evan ag an doras, a dúirt sí. Níor chuala Rio ag cnagadh é. Ní raibh leithscéal maith aige dó.

"Abair leis go bhfuilim . . ." a ghlaoigh sé síos ar a mham. Ach sular chríochnaigh sé an abairt, chonaic sé Evan sa halla agus a mham ag imeacht ar ais sa chistin.

"Tá mé gnóthach." Ó bharr an staighre a dúirt Rio é.

"Tá rud éigin an-aisteach ag tarlú sa chluiche," arsa Evan. "Is tusa an duine is fearr . . ."

"Tá obair bhaile le déanamh agam." Leithscéal amaideach, arsa Rio leis féin. Thuig Evan go maith nach ndearna sé riamh an obair bhaile go dtí tráthnóna Domhnaigh.

"Caithfidh mé labhairt leat faoi seo, a Rio," arsa

Evan. Tharraing sé siar a mhuinchille agus chonaic Rio an t-uaireadóir air. "Níl a fhios agam cad atá cearr."

D'fhan siad beirt ag faire ar a chéile. Cairde ab ea iad ó bhí siad i rang na naíonán sa bhunscoil. Ní minic a bhídís ag troid. Sa deireadh chomharthaigh Rio d'Evan teacht in airde staighre.

"Probably just naimhde istigh sa chluiche," arsa Rio, nuair a mhínigh Evan dó an méid a tharla. "I mean, níl sé cosúil le rud a déarfadh Crúb, an bhfuil? Cad é arís, go bhfuil an fhírinne le fáil sa saol mór agus ní sa chluiche?"

Lig Evan osna. Bhíodh sé gealgháireach de ghnáth ach anois bhí sé buartha an t-am ar fad, shíl Rio. Then again má bhí sé i ngrá le Cara no wonder go raibh sé buartha.

"Nó b'fhéidir go bhfuil haiceáil ar siúl," arsa Rio go mall, "ach nach é Crúb atá á dhéanamh?"

D'fhéach Evan air go hamhrasach. "Cé eile a dhéanfadh a leithéid?"

Chrom Rio agus chuardaigh sé a stocaí agus a bhróga faoin leaba. Bhí éadaí ar fud an urláir, ina luí san áit ar thit siad. T-léinte dubha, geansaithe dubha, a lán éadaí dubha mar a thaitin leis. Bhí irisí peile agus paicéid fholmha criospaí ar an urlár freisin. Bhíodh seomra Evan néata, slachtmhar i gcónaí. Gach duine difriúil gan dabht ar bith.

Choimeád Rio a shúile ar an urlár. "Bhuel, smaoinigh air seo," ar sé. "Tá a fhios aici cén leibhéal ag a bhfuil tú, agus cén t-am a bhíonn tú ag imirt."

"Tá a fhios aici . . . ? Mo dheirfiúr, Síofra? Níl suim aicise . . ."

"Nílim ag caint ar Shíofra."

Shuigh Evan ar imeall na leapa. "Cara, atá i gceist agat?"

"Just b'fhéidir," arsa Rio leis an urlár. D'éirigh sé agus shuigh sé féin ar an leaba. "Ach sorry más í do ghirlfriend í."

Stán Evan ar Rio. Dhearg an bheirt acu. Bhí siad cairdiúil le cailíní ina rang ó bhí siad go léir sa bhunscoil le chéile. Ach ní raibh aon taithí acu ar chomhrá den sórt seo. Bhí eagla ar Rio go mbeadh fearg ar Evan. Ina áit sin, thosaigh Evan ag gáire.

"Is amadán thú, a Rio! Níl suim ar bith agam . . ."

"Bhí sibh an-chairdiúil le chéile an lá cheana lasmuigh den leabharlann. Lámha timpeall ar a chéile, practically . . ."

"Éist liom," arsa Evan go docht. "Bhí mé trí chéile an lá sin. Ach níl suim agam . . . Tá Cara ceart go leor ach tá sé deacair labhairt léi."

Bhí tost eatarthu ar feadh nóiméid. Thosaigh Rio ag cur air a stocaí agus a bhróga. Níos éasca sin a dhéanamh ná féachaint sna súile ar Evan. Ní raibh sé cinnte gur chreid sé an freagra a thug Evan air.

"Má tá haiceáil ar siúl," ar sé go cúramach, "caithfidh go bhfuil aithne ag an duine sin ort."

"Ach cén fáth go ndéanfadh Cara é?" arsa Evan, chomh cúramach céanna.

"Suppose gur mhaith léi an bua a fháil?"

"Is cuma léi faoin gcomórtas, a deir sí."

"Agus creideann tú gur fíor sin?"

Dhearg Evan arís. "Níl a fhios agam . . . Tá an-suim aici sa chluiche agus an-eolas aici air. Ach mar sin féin creidim gur mhaith léi cabhrú linne."

Shuigh Rio ar an leaba, gan bacadh iallacha a bhróg a cheangal. Bhí sé fós in amhras faoi Chara ach níor lean sé den argóint. Bhí sé an-sásta go raibh sé féin agus Evan cairdiúil lena chéile arís. Bhí iontas air faoin éad a tháinig air le dhá lá anuas.

Chuir siad SÁRÚ ar siúl ar bhalla an tseomra. Bhí na teifigh i scuaine fhada ag geata an aerfoirt. Dúirt Evano leo go mbeadh cead ag 5,000 teifeach fanacht in Éirinn. Ach bhí eagla air go mbeadh fearg ar a lán daoine faoi sin, iad ag ceapadh go dtógfadh na teifigh a bpost nó a dteach. D'ordaigh sé do na teifigh dul ina gcónaí i gcampaí speisialta amuigh faoin tuath. Bheidís slán sábháilte ó chogaíocht agus ó ocras, ar sé, agus ba cheart go mbeidís sásta leis sin.

Ach d'éirigh páistí sna campaí tinn. Fuair siad galair nach raibh orthu ina dtír féin. Dúirt páistí eile nach raibh siad in ann an bia sna campaí a ithe. Tháinig dúlagar ar dhaoine fásta mar nach raibh cead acu dul amach ag obair. Bhí a lán fadhbanna nua ag Evano. Bhí eagla air go mbeadh paindéim sna campaí, agus go scaipfeadh an tinneas i measc mhuintir na háite.

"Plean nua ag teastáil," arsa Rio agus é ag faire ar an gcluiche.

"Ceart agat. Beidh ar Evano rogha níos fearr a dhéanamh."

Chuaigh Evano isteach i scoil ina raibh teifigh óga agus páistí áitiúla ag foghlaim le chéile. Tháinig dochtúir agus garda ar cuairt ar an scoil in éineacht leis. Bhí Evano ag comhrá leo nuair a bhuail an garda sonc sa smut air. Thit sé ar an talamh. Bhí fuil ag sileadh óna shrón.

Tá an saol mór níos contúirtí ná an cluiche, arsa an garda ar an scáileán. *Agus tá Mega contúirteach do roinnt daoine.*

Chuir Evan stop leis an gcluiche. Bhí a aghaidh chomh bán leis an mballa.

"Seo mar a tharla cheana," arsa Evan go híseal. "Tá rud éigin cearr, nach bhfuil? Cén fáth go ndéarfaí sa chluiche go bhfuil Mega contúirteach, nuair is é Mega an comhlacht a rinne an cluiche?"

"Kinda aisteach," arsa Rio. "Déarfainn gur haiceáil atá ar siúl, cinnte"

"Ní hé Crúb atá á dhéanamh," arsa Evan go tobann, "ach an buachaill eile sin, Péist. Tá seisean níos glice ná Crúb, agus tá rudaí aisteacha á rá aige sa chluiche chun mearbhall a chur orainn."

"Ach níl an haiceáil ag cur stop leis an gcluiche, an bhfuil?"

Smaoinigh Evan ar cheist Rio. "Níl. Ach tá eagla orm go n-éireoidh sé níos measa."

"So cad a dhéanfaimid?"

"B'fhéidir go mbeidh Cara in ann cabhrú linn. Tá

tuiscint an-mhaith aici ar an gcluiche, mar a dúirt mé leat."

Ní raibh fonn ar Rio filleadh ar an argóint a bhí acu cheana. Chuala sé duine den chúpla ag screadaíl thíos staighre. Léim sé ina sheasamh agus d'fhéach sé amach an fhuinneog.

"Bet you go n-iarrfaidh mo mham orm aire a thabhairt do na leanaí," ar sé. Rinne sé gáire agus é ag cuimhniú ar na leithscéalta a thug sé d'Evan an lá roimhe sin. "Seriously agus i ndáiríre! B'fhearr dúinn dul go dtí do theachsa chun leanúint den imirt."

Ar a slí síos an staighre, chuala siad na leanaí ag screadaíl, gach béic níos láidre ná a chéile. Chuir Rio a mhéar lena bhéal agus chuaigh siad amach gan focal a rá lena mham.

Dheifrigh siad suas an cnoc. Bhí caipín agus scairf ar Evan ach fós ní raibh sé ar a shuaimhneas amuigh ar an tsráid agus an t-uaireadóir cliste air. Ansin thosaigh cith trom agus mhol Rio go rachaidís isteach i siopa píotsa. Bhí ocras air, ar sé, agus b'fhéidir go stopfadh an bháisteach dhamanta fad a bhí siad istigh.

"Fáilte romhat, a leaidín ó!"

Rómhall a d'aithin siad cé a bhí ag obair sa siopa. Muineál fada tanaí air agus a lámha cnámhacha ar an gcuntar. Scrogall a bhí ann. Chuir Evan a lámha féin ina phócaí go tapa chun nach bhfeicfí an t-uaireadóir.

"Táimid ag faire ortsa, bíodh a fhios agat," arsa

Scrogall leis. Thóg sé amach a fhón. "Beidh suim ag Crúb a chloisteáil go bhfuil sibh anseo."

Cheannaigh Rio dhá channa líomanáide faoi dheifir. Níor bhac sé le píotsa ach níor mhaith leis rith amach as an siopa ach oiread.

Chrom Scrogall trasna an chuntair, a mhuineál gránna sínte aige ina dtreo. "Ná ceapaigí gur féidir libh éalú uainn. Tá códú de gach sórt ar eolas ag ár gcara Péist, d'ya see, agus bíonn sé ag sliodarnach thart ar an idirlíon de réir mar is mian leis."

Caibidil a hOcht

Bhí Evan agus Rio ag an gcrosbhóthar gar dá eastát nuair a chonaic Evan téacs óna mham ar an bhfón. *Tú fós ar an trá nó cén áit? Mise san oifig tamall, do dhaid san ollmhargadh agus Sfr sa Mega-Sp lena cairde. Cuir focal ldt.*

Bhí gach duine amuigh agus ní raibh eochair ag Evan don teach. Bhí an t-uaireadóir cliste air agus bhí Scrogall tar éis a insint do Chrúb cá raibh sé féin agus Rio. Bhí ionad nua an Mega-Spórt thuas an bóthar ón eastát ach níor theastaigh ó Evan dul ann agus an t-uaireadóir air.

Thosaigh sé ag scríobh teachtaireachta chuig Síofra. Ansin chuala sé cling ar an bhfón. Teachtaireacht WhatsApp a bhí ann. Ní raibh a ainm athraithe aige ar an gcuntas sin fós. Ó Chrúb a tháinig an teachtaireacht.

Dn dfir. Nó dtse s measa.

Déan deifir an t-uaireadóir a thabhairt dó. Nó is

duitse is measa. Bhí na bagairtí ag méadú. *Tá Mega contúirteach do roinnt daoine,* a dúradh sa chluiche. Ach cén sórt contúirte a bhí i gceist? Gortú agus pianta? Nó rud éigin níos measa fós?

Bhí an bháisteach ag clagarnaíl ar an gcosán. Chúb Evan agus Rio isteach faoi chrann. Bhí lámha Evan ar crith agus an fón á dhúnadh aige. Bhí sé ar a mhíle dícheall bheith misniúil ach bhí an saol ar fad ag sárú air.

"Come on, rachaimid go dtí an Mega-áit," arsa Rio. "Trí nóiméad má rithimid."

"Má chasaimid le Crúb . . ."

"Má tá Síofra sa Mega-Spórt, tabharfaidh sí eochair an tí duit. Ná géill do na cladhairí sin, a Evan. Má cheapann siad gur weakling thú, ní bheidh seans ar bith agat."

Shroich siad foirgneamh mór nua a raibh 'MEGA' scríofa i litreacha órga air. Bhí slua istigh sa halla fáilte. Cóta fliuch ar na daoine a bhí ar a slí isteach. Scáth báistí ina lámha ag na daoine a bhí ag imeacht.

Bhí siopa ar thaobh an halla fáilte. Éadaí spóirt ar díol ann, agus lógó Mega orthu go léir. Léinte agus brístí faiseanta do lucht aclaíochta, seaicéid agus brístí ildaite do lucht sléibhteoireachta. Éadaí eile fós le caitheamh ar do chompord sa bhaile. Ábhar speisialta nua a bhí sna héadaí, de réir mar a fógraíodh. Fan tirim ón mbáisteach agus ón allas. Bí teolaí agus fós fionnuar in aon am amháin. Cool agus fionnuar, mar a dúirt Rio.

Bhí liathróidí peile agus earraí spóirt de gach cineál acu freisin. Rópaí scipeála, mataí ióga, spéaclaí snámha, málaí droma. Fáinní eochracha a raibh lógó Mega orthu, an 'M' lúbach órga ar chúlra dubh agus airgid. Ní raibh Evan agus Rio sa siopa ach uair amháin cheana. Chonaic siad liathróidí boga a bhí oiriúnach don súgradh taobh istigh. Chaith Evan dhá cheann san am chuig Rio. Ba bhreá leis dearmad a dhéanamh ar a chuid trioblóidí. Thosaigh Rio ag lámhchleasaíocht leis na liathróidí.

Is ansin a d'fhéach Evan thar a ghualainn. Bhí Crúb ag doras an tsiopa. Bhí geansaí dubh agus órga á chaitheamh aige. Bhí sé ag obair sa Mega-Spórt. A shúile geala ag faire go fuarchúiseach orthu.

"Seo linn," ar sé, ag tarraingt ar gheansaí Rio. Bhí doras eile ar an taobh thall den siopa. Amach leo. Bhí geata leictreonach os a gcomhair ach shleamhnaigh siad isteach faoi. Bhí orthu Síofra a aimsiú agus éalú ón Mega-Spórt gan mhoill.

Bhí an áit plódaithe. Gáire agus spraoi san aer. Gach duine sona sásta ach Evan. Dheifrigh sé féin agus Rio síos pasáiste ar chlé. Ní raibh eolas ceart acu ar an ionad. Bhrúigh Evan ar an gcéad doras a shroich siad. Bhí boladh ceimiceán san aer. Doras eile fós os a gcomhair. Isteach leo ina gcnap.

I seomra gléasta don linn snámha a bhí siad. Boladh clóirín a bhí ina bpolláirí. Ní raibh culaith shnámha acu. Agus i seomra na mban a bhí siad.

Chúlaigh siad amach na doirse go pras. Amuigh ar an bpasáiste, chonaic siad doras eile. Seomra gléasta na bhfear an uair seo. Thug siad spléachadh suas an pasáiste. Bhí scata ag teacht ina dtreo, páistí agus máithreacha ar a slí go dtí an linn snámha. Ansin chonaic siad an leaid láidir a bhí taobh thiar den scata. Crúb ag siúl go mall, bagarthach ina dtreo.

Bhí fear á thriomú féin istigh sa seomra gléasta. Dheifrigh Evan agus Rio thairis. Feicfimid an bhfuil Síofra sa linn snámha, arsa Rio. Feicfimid an bhfuil bealach eile amach as seo, arsa Evan.

Shroich siad an linn snámha. Bhí an t-aer te, tais. Páistí óga ag béicíl agus ag súgradh san uisce. Ceithre lána snámha ann don dream díograiseach. Bhí sé deacair a fheiceáil an raibh Síofra ina measc. Caipín snámha ar gach duine. Spéaclaí snámha ar chuid acu.

Tháinig ógfhear amach as oifig taobh leis an linn snámha. Evan agus Rio feicthe aige, gan culaith ná caipín snámha orthu. Níor éist sé le leithscéalta Evan. Níl sé ceadaithe bróga sráide a chaitheamh anseo, ar sé. Ar ais libh go dtí an seomra gléasta.

Ach nuair a shroich siad an seomra, bhí an doras ón bpasáiste á oscailt. Chúlaigh siad isteach i gcith-fholcadán. Bhí leathdhoras air a choimeád i bhfolach iad. D'fhéach Rio amach thar an leathdhoras go tapa. Crúb a bhí sa seomra.

Chrom Rio agus Evan a gcloigeann chun nach bhfeicfeadh Crúb iad. Ach bhí a gcosa le feiceáil taobh thíos den doras. Bróga agus brístí orthu sa chithfholcadán. Tháinig cigilt i scornach Evan agus bhí eagla air go ndéanfadh sé casachtach.

Chuala siad mallacht á ligean ag Crúb. Bhí snámhaithe ar a slí ar ais ón linn ag an am céanna. Cithfholcadh uathu siúd, go cinnte. Choimeád Evan a lámh chlé go domhain ina phóca. Bhí miotal an uaireadóra ag dó a chraicinn mar a bheadh tine.

Chonaic siad cloigeann Chrúb ag imeacht thar an leathdhoras go mall. A chuid gruaige bearrtha go teann, na cnámha agus na matáin chrua le feiceáil go soiléir. Dá bhféachfadh sé ina dtreo, bheadh deireadh leo.

Ach níor fhéach. Shiúil sé thar an gcithfholcadán go tapa. Bhuail sé i gcoinne duine de na snámhaithe agus lig sé mallacht eile. Nuair a bhí sé imithe as radharc, d'éalaigh Evan agus Rio amach as an gcithfholcadán. Ba bheag nár sciorr Evan ar an urlár fliuch agus é ag rith go dtí an doras.

Shroich siad an halla i lár an ionaid den dara huair. Chuala siad an bháisteach ag clagarnaíl ar an díon gloine os a gcionn. Thosaigh Rio ag gáire. Ach bhí croí Evan ina bhéal.

"Tá mise ag dul abhaile," arsa Evan. "Fanfaidh mé i bhfolach sa lána ar chúl an tí. Nó rachaidh mé isteach go dtí na comharsana. Tá Crúb ag sárú orm agus ní féidir liom . . ."

Bhí Rio ag féachaint thart ar an slua. Tharraing sé ar lámh Evan go tobann.

"Seo linn! Tá cara le Síofra díreach feicthe agam."

Lean Evan síos pasáiste nua é. Gruaig chatach rua a bhí ar an gcailín. Bhí sí in aon rang le Síofra ar scoil. D'imigh sí as radharc ag bun an phasáiste. Lean siad timpeall an chúinne í. Bhí trí dhoras os a gcomhair, agus fuinneog ghloine ar gach ceann.

Bhí orthu rogha a dhéanamh. D'fhéach Evan isteach an chéad fhuinneog go tapa. Rang ióga a bhí ar siúl sa seomra, gach duine ar an urlár agus a gcosa san aer. Bhí Evan measartha cinnte nach raibh Síofra ná an cailín rua ina measc. Leag sé a shúil ar an dara fhuinneog. Seomra áilleachta an uair seo. Dathú ingne agus cóiriú craicinn ar siúl. Ní bhacfadh Síofra lena leithéid, ar sé. Bhrúigh Rio ar an tríú doras agus isteach leo.

I seomra mór fada a bhí siad. Seacht nó ocht mbord ina sraith, leadóg bhoird agus púl á n-imirt orthu. Bhí scátháin ar na ballaí agus na himreoirí le feiceáil faoi thrí nó faoi cheathair. Dá dtiocfadh Crúb isteach, b'fhéidir go gcuirfeadh na scátháin mearbhall air.

Ba bheag nár lig Evan liú áthais nuair a chonaic sé a dheirfiúr. Cluiche leadóg bhoird ar siúl aici le buachaill éigin. Chuaigh sé ina treo ach bhí daoine ina bhealach. Scléip agus gleo ar fud an tseomra, liathróidí ag preabadh ar gach bord. Buillí boga rithimiúla ar na boird leadóige, plabadh tobann tréan ar na boird phúil. Imreoirí ag glaoch amach ar a chéile, a scáil ag gluaiseacht anonn is anall sna scátháin. Mearbhall ar Evan agus é ag faire orthu.

"Faoi dheireadh!" ar sé, nuair a shroich sé bord Shíofra. Stán sí air go mífhoighneach. D'iarr sé eochair an tí uirthi. Bhí oiread gleo sa seomra is nach raibh seans ar bith aige a mhíniú go raibh bulaí gránna sa tóir air. Shín Síofra a méar i dtreo a mála ar an urlár. Chrom Evan chun an eochair a chuardach ann.

Nuair a d'éirigh sé ina sheasamh, bhí Crúb ag an doras. Bhí a mhéar sínte aigesean i dtreo Rio, a bhí ag faire ar chluiche púil i lár an tseomra.

"Tusa, sea!" a ghlaoigh Crúb amach. Chiúnaigh gach duine go tobann. "Tusa agus do chara atá uaim."

Bhí fonn ar Evan dul i bhfolach faoin mbord. Ach ní fhágfadh sé Rio ina aonar le Crúb. Bhí an cluiche púil i lár an tseomra ina stad anois. Crúb ag labhairt amach go fuar, údarásach. Go tromchosach a shiúil Evan ina threo.

"Gadaíocht ar siúl ag an mbeirt seo. Ón siopa. Chonaiceamar iad."

Rug Crúb ar Evan. Bhí dosaen péirí súl ag faire orthu. Lámha Chrúb ar sheaicéad Evan. Na rudaí a ghoid Evan á lorg aige, a d'fhógair sé. Cúig shoicind agus d'oscail Crúb amach a lámh. Thaispeáin sé dhá liathróid ildaite don slua.

"Ina phóca!" ar sé go sásta. "Ón siopa a ghoid sé féin is a chara iad."

Na liathróidí céanna a raibh Evan agus Rio ag súgradh leo sa siopa. Cleas á imirt ag Crúb. Bhí sé ag obair don Mega-Spórt agus chreid an slua go bhfaca sé an ghadaíocht mar a dúirt sé.

Chonaic Evan a dheirfiúr á leanúint trasna an tseomra. Uafás le feiceáil ina súile. Díreach in am, thiontaigh Evan chuici agus labhair sé léi faoina anáil. "Fan anseo," a dúirt sé léi go grod.

Ní raibh aon duine ag faire ar Chrúb lasmuigh den doras. Shrac sé lámh Evan in airde. Glugar gáire ina scornach, an t-uaireadóir le fáil aige faoi dheireadh. Evan agus Rio i dtrioblóid, agus na bulaithe in ann an cluiche a bhuachan.

Ach ní raibh an t-uaireadóir ar lámh Evan. D'ordaigh Crúb don bheirt bhuachaillí teacht go dtí oifig an bhainisteora. Nuair a mhínigh Crúb scéal na liathróidí, d'iarr an bainisteoir orthu a thaispeáint cad a bhí ina bpócaí. Ach ní raibh an t-uaireadóir in aon cheann de phócaí Evan ná Rio.

Caibidil a Naoi

Bhí Síofra ar buile. Gach duine sa seomra cluichí ag stánadh uirthi. An doras dúnta go docht ag an bhfear a tharraing Evan agus Rio amach leis. Níor thuig sí cad a bhí ar siúl.

Bhí sí ar buile lena deartháir. Cad a bhí déanta aige féin agus ag Rio? Bhí sé éasca a chreidiúint go mbeadh Rio i dtrioblóid ach bhí Evan níos stuama ná é. Cén fáth go ndúirt sé léi fanacht sa seomra agus gan cabhrú leis? Bhí rud éigin aisteach ar siúl aige. Bhí sé an-chiúin le cúpla lá anuas, ó thosaigh sé ar an gcluiche nua sin ar an uaireadóir cliste.

Bhí sí ar buile freisin leis an bhfear óg a tháinig isteach sa seomra ag béicíl ar Evan agus ar Rio. Ní raibh sé ach cúpla bliain níos sine ná í féin. Náirigh sé na buachaillí os comhair an tslua. An raibh de cheart aige sin a dhéanamh? Bhí fonn ar Shíofra dul chuig oifig an bhainisteora agus gearán a dhéanamh faoi. Bhí sí féin náirithe os comhair a cairde.

Rinne sí leithscéal leis an mbuachaill a bhí ag imirt an chluiche leadóg bhoird léi. Thóg sí a mála den urlár agus chuardaigh sí a fón. Bhí Evan tar éis an eochair a thógáil ceart go leor. Ach chuir sé rud éigin sa mhála, rud éigin crua a bhí sa phóca céanna leis an bhfón.

An t-uaireadóir cliste a bhí ann. Níor inis Evan di gur chuir sé ina mála é.

D'fhág Síofra an seomra cluichí faoi dheifir. Ghlaoigh sí ar Evan ach caithfidh go raibh an fón múchta aige. Shiúil sí go dtí an deasc fáilte. Dá rachadh sí go dtí oifig an bhainisteora, an mbeadh cúrsaí níos measa fós do na buachaillí?

Chuala sí a fón ag bualadh. Evan a bhí ann. Bhí sé féin agus Rio lasmuigh den ionad. Bhí sé suaite agus ghlac sé cúpla nóiméad ar Shíofra a thuiscint cad a bhí á rá aige.

"Ná tar amach fós," ar sé. "Táimidne ag dul abhaile anois. Tar thusa i gceann deich nóiméad."

"An raibh sibhse ag gadaíocht? Beidh Mam agus Daid ar deargbhuile má chloiseann siad . . ."

"Ná bí craiceáilte, cinnte ní rabhamar . . ." Lig Evan osna. "An bhfaca tú an rud a chuir mé i do mhála?"

"Chonaic, ach ní thuigim ar chor ar bith . . ."

"Is cuma, a Shíofra, míneoidh mé an scéal ar fad ar ball. An rud is tábhachtaí anois ná gan focal a rá faoin uaireadóir. Tabhair abhaile é i gceann deich nóiméad." Lig sé osna eile. "Le do thoil, a Shíofra."

Rinne sí mar a d'iarr sé uirthi. Bhí Evan agus Rio sa chistin nuair a shroich sí an teach. Bhí arán agus im á ithe acu, gan focal astu ach iad á alpadh go hocrach. Nuair a d'oscail Síofra an cuisneoir, chuimhnigh sí nach raibh mórán bia eile sa teach. Bhí a daid, Tomás, ag an ollmhargadh agus a mam, Úna, ag freastal ar chruinniú éigin in oifig Splanc.

"Inis dom," ar sí, agus a mála á leagan ar an mbord aici.

"Is bulaí é," arsa Evan go nimhneach. "Bulaí, maistín, cladhaire, bréagadóir."

"Agus tá sibh cinnte nár thóg sibh na liathróidí beaga sin, fiú trí bhotún . . . ?"

"Bréaga a bhí sa rud ar fad. Chuir Crúb na liathróidí sin i mo phóca."

"Tá mise chun labhairt le mo lawyer," arsa Rio. "Níl sé ceart ná cóir."

Mhínigh siad an scéal do Shíofra. Mar a thosaigh an bhulaíocht ar an mbus, mar a d'ionsaigh Crúb agus a ghiollaí iad ag an Astroturf, mar a bhagair Scrogall orthu sa siopa píotsa, mar a chuir Crúb tóir orthu sa Mega-Spórt. Na bagairtí ar an bhfón agus ar an idirlíon, agus an tuairim a bhí ag Evan go raibh na bulaithe ag haiceáil isteach sa chluiche freisin.

"Cad a dúirt an bainisteoir?" a d'fhiafraigh Síofra. "Ar fhéach sé ar thaifeadadh CCTV ón siopa?"

"Níor fhéach. D'iarr sé ár n-ainm agus ár seoladh baile orainn. Agus uimhreacha fóin ár dtuismitheoirí. Dúirt sé go nglaofadh sé orthu."

Lig Rio gáire as. "Beidh mise slán ar aon nós. Thug mé an uimhir fóin mhícheart dó agus níor sheiceáil sé í."

Ní raibh fonn gáire ar Evan. "Nuair a thángamar amach as oifig an bhainisteora," ar sé, "dúirt Crúb go raibh seans amháin deireanach againn. Caithfidh mé an t-uaireadóir a thabhairt dóibh Dé Luain nó scaipfidh siad an scéal ar an idirlíon gur gadaithe sinn. Beidh an triúr acu ag fanacht linn ag an Astroturf tar éis am scoile."

"Ní féidir leat fanacht i do thost faoi seo, a Evan," arsa Síofra, a bhí chomh suaite lena deartháir. Níor bhac sí le céadainm a dtuismitheoirí an uair seo. "Caithfidh tú labhairt le Mam agus Daid faoi."

Chas Evan a cheann i dtreo na fuinneoige. Chuala Síofra inneall an ghluaisteáin lasmuigh. Cúpla nóiméad eile agus bheadh a n-athair sa chistin. D'fhéach Evan ar ais ar a dheirfiúr.

"Ná habair focal fós. Ní theastaíonn uaim . . ."

"Ní féidir leat seasamh in aghaidh bulaíochta i d'aonar, a Evan. Bíodh ciall agat."

"Cuirfidh Mam agus Daid stop leis an gcluiche. Agus má tharlaíonn sin, beidh an bua ag Crúb."

"Ach tá Crúb agus na diabhail eile contúirteach . . ."

"Tabhair cúpla lá eile dúinn," arsa Evan go

diongbháilte. Rinne Rio comhartha láimhe a thaispeáin gur aontaigh sé leis. Ní raibh deis ag Síofra focal eile a rá sular ghlaoigh a hathair isteach orthu go raibh boscaí agus málaí le tabhairt ón ngluaisteán.

Bhí siad gnóthach ar feadh tamaill ag rith amach is isteach ón mbáisteach. Ansin d'iarr Tomás orthu an bia a chur sna cófraí. Go mífhoighneach a labhair sé agus thuig Síofra nach maith an t-am a bheadh ann insint dó faoin mbulaíocht, fiú dá mbeadh Evan sásta sin a dhéanamh.

"Tá an abhainn ag ardú go mór," arsa Tomás, "mar gheall ar an mbáisteach go léir. Tá súil agam go mbeidh sibhse ceart go leor, a Rio? Tá caint ann go rachaidh uisce sna tithe ag bun an bhaile."

"Tá mo mham seriously buartha faoi," arsa Rio, "ach deir mo dhaid nár tharla a leithéid le caoga bliain anuas." Bhí Rio chomh réchúiseach is a bhíodh i gcónaí. "Mind you, ba bhreá liomsa fíorstoirm chontúirteach a fheiceáil uair éigin."

"Feicfidh tú a lán acu sna blianta atá le teacht," arsa Síofra go críonna. "Na stoirmeacha a bhíodh againn gach caoga bliain, bíonn siad againn anois gach deich mbliana. Agus tuigimid go léir cén fáth."

Níor fhreagair aon duine í, rud a chuir díomá ar Shíofra. Bhí altanna agus podchraoltaí faoin athrú aeráide ar an idirlíon a scanraigh í. Bhí níos mó carbóin san atmaisféar anois ná mar a bhí le 400,000 bliain. An leibhéal carbóin ag méadú níos tapa ná in am ar bith ó bhí na díneasáir ann. Leac oighre ag leá agus farraigí ag ardú. Na milliúin daoine sna cathracha cois cósta ar fud an domhain i gcontúirt. Scéalta nua ann gach bliain faoi thinte foraoise. Ach fós ní labhraíodh mórán daoine faoi. Chuir beirt nó triúr dá dlúthchairde spéis sna rudaí a dúirt sí, ach rinne daoine eile ina rang gáire neirbhíseach. Tóg go bog é, ar siad. Réiteoidh na daoine fásta gach fadhb luath nó mall.

Chuala sí Evan agus Rio ag comhrá ar an staighre. Ba bhreá léi féin an saol a thógáil go bog ó am go ham. Ach nuair a thuig tú an phraiseach a bhí déanta ag na daoine fásta, bhí fonn ort béicíl amach go raibh sé in am stop a chur leis.

"Rachaimid ar cuairt chuici," a bhí á rá ag Rio. "Ar do chara. You know, Cara."

Ba léir go raibh iontas ar Evan. "Níl a fhios agam cá bhfuil cónaí uirthi," a d'fhreagair sé. "Ach má cheapann tú . . . ?"

"Gheobhaimid amach cad atá ar siúl aici sa chluiche," arsa Rio. "Má tá beirt againn ann, ní bheidh sí in ann dallamullóg a chur orainn."

Lean Síofra suas an staighre iad. "Cé hí Cara?" ar sí. Thug sí an t-uaireadóir cliste d'Evan thíos staighre agus chonaic sí ar a lámh é anois.

"Tá an cluiche aici," arsa a deartháir. "Is Meiriceánach í, nó Gael-Mheiriceánach, is dócha. Tá sí sa dara bliain sa scoil linn, measaim. An téarma seo a tháinig sí go hÉirinn."

"Gruaig an-ghearr uirthi? Agus suíonn sí léi féin ag am lóin?"

Chlaon Evan a cheann. "Ní dóigh liom go bhfuil mórán cairde aici fós."

"Mórán?" arsa Rio leis. "More like, níl aon chara aici ach tusa."

"Tá sí in aon rang le deirfiúr le cara liom." Thosaigh Síofra ag cuardach ar a fón agus thaispeáin sí pictiúr a carad don bheirt eile. "Is cuimhin liom iad ag caint fúithi. Dúirt siad go bhfuil cónaí ar an gcailín Meiriceánach i dteach mór faoin tuath agus go dtagann sí ar scoil i ngluaisteán an-ghalánta."

"Tuigim an scéal ar fad anois," arsa Rio de gháire. "Is í Cara an poor little rich girl ina caisleán mór uaigneach." Sméid sé súil ar Evan. "Agus is tusa an prionsa to the rescue!"

D'fhan Síofra i seomra Evan ag faire ar an gcluiche. Leibhéal a Dó a bhí á imirt. Mhínigh Evan go raibh tinneas agus dúlagar i measc na dteifeach i gcampaí in Éirinn. Ach bhí plean nua ag a charachtar Evano. Ní fhanfadh na teifigh sna campaí ach mí amháin. Ansin bheadh cead acu obair a lorg agus cónaí i mbailte ina raibh an pobal ag dul i léig. Thabharfaí cabhair dóibh comhlachtaí nua a thosú agus a gcuid scileanna a úsáid. Bheadh a bpáistí ag freastal ar scoileanna ina raibh ranganna beaga. Bhí Evano sásta lena phlean agus d'éirigh go maith leis. Istigh sa chluiche, bhí cúpla duine fós ag gearán ach chuir a lán daoine áitiúla fáilte roimh na strainséirí.

Níor luaigh Síofra an ceangal idir athrú aeráide agus daoine ag teitheadh óna dtír féin. Ní bheadh suim ag Evan ná Rio sin a chloisteáil faoi láthair. Tháinig smaoineamh eile chuici go tobann.

"Tá seift agam," ar sí. "Seift a chuirfidh stop leis na maistíní gránna, b'fhéidir."

Caibidil a Deich

Thosaigh Síofra ar a seift a mhíniú. Ach ní raibh tagtha as a béal ach cúpla abairt nuair a ghlaoigh Tomás aníos an staighre orthu. Bhí scéal práinneach aige do Rio. Rith siad go léir síos an staighre gan mhoill.

"Tá an abhainn ar tí dul thar bruach," arsa Tomás. "Tá pictiúir ar an nuacht áitiúil ar líne. Ar labhair tú le do thuismitheoirí, a Rio?"

D'fhéach Rio ar an bhfón. Chuir sé téacs chuig a mham tamall níos luaithe, á rá go raibh sé i dteach Evan. Níor fhreagair sí é agus ghlac Rio leis go raibh cúrsaí go breá. Bhíodh a mham bog go leor air agus bhí a dhaid réchúiseach freisin, ach chonaic sé anois go raibh dhá théacs nua tagtha óna mham. Bhí sí i dteach a deirféar, aintín Rio. Chuaigh sí ann leis na leanaí toisc go raibh sí fíorbhuartha go dtiocfadh uisce ina dteach féin.

"An nglaofaidh mé ar do dhaid?" arsa Tomás, fad

a bhí Rio fós ar an bhfón. "Déarfainn go mbeidh cabhair ag teastáil uaidh. Siúlfaidh mé síos an cnoc leat."

"B'fhéidir gur bád a bheidh ag teastáil," arsa Rio. Bhí sceitimíní air agus é ag smaoineamh ar an mbaile faoi uisce. Bhí físchluichí go breá, dar leis, ach bhí fíorchontúirtí i bhfad níos fearr.

Ní sceitimíní ach imní a bhí ar Thomás. Dúirt sé le Síofra agus Evan fanacht sa bhaile, rud a chuir díomá orthu beirt. "Beidh gardaí ar na sráideanna," ar sé. "Ní píosa spraoi é seo, geallaim daoibh."

D'aimsigh Tomás péire buataisí dó féin agus do Rio. Bhí sé dorcha faoin am a d'fhág siad an teach. Dorcha, fliuch agus gaofar. Bhí an bháisteach ag doirteadh agus ag stealladh gan stad. Bhí áthas ar Shíofra nach ndeachaigh sí leo. Bhí an teach teolaí, compordach, fiú agus an ghaoth ag búiríl ag na fuinneoga.

D'fhill Úna abhaile óna cruinniú oibre. Bhí sí an-tuirseach, a dúirt sí, agus bhreathnaigh Síofra agus Evan ar a chéile go tostach, iad cinnte anois go raibh fadhbanna aici ar obair. Réitigh Síofra dinnéar simplí dóibh agus shuigh siad le chéile, cluas acu leis an raidió agus súil acu ar an idirlíon.

Thíos ag bun an bhaile, bhí scata de mhuintir na háite ag obair go dian. Bhí an t-uisce os cionn a rúitíní agus ní fada go mbeadh sé os cionn a nglún, dar leo. Bhí málaí gainimh á gcarnadh ag gach doras. Gach rothar, gluaisrothar, bosca bruscair agus pota planda nach raibh ceangailte den talamh, tógadh iad agus cuireadh i ngaráiste nó i dteach iad, chun nach mbrisfeadh an ghaoth iad. Istigh sna tithe, bhí troscán á aistriú suas staighre agus earraí á gcur i gcófraí arda. Bhí tóirsí móra lasta mar go raibh eagla ar dhaoine leictreachas a úsáid san áit a dtiocfadh an t-uisce.

Ag a hocht a chlog sa tráthnóna a bhris an abhainn thar bruach. Bhí taoide an-ard tagtha isteach ón bhfarraige ag an am céanna. Scuab sruthanna uisce trasna na sráideanna go tréan. Bhuail siad in aghaidh na málaí móra gainimh. Chuir Rio grianghraif ar Instagram. Lochán dorcha lasmuigh dá theach féin. Rothaí na ngluaisteán clúdaithe ag an uisce. An droichead trasna na habhann dúnta. Thaispeáin pictiúr amháin é ag cabhrú le fear aosta dreapadh thar bhalla a ghairdín chun éalú ón tuile. *Disaster movie i mBaile an Chuain*, ar sé i dtéacs chuig Evan, *agus Rio the risk taker an super-sárlaoch i lár an aicsin*.

Ach chiúnaigh an ghaoth de réir a chéile. D'ísligh an t-uisce go mall. Shil sé isteach i gcúpla ceann de na seansiopaí, b'in uile. Chuaigh gluaisteán i sáinn nuair a tiomáineadh é trasna crosbhóthair a bhí faoi uisce. Chiúnaigh an baile de réir a chéile. Ní raibh tubaistí ná trioblóidí móra i mBaile an Chuain an tráthnóna sin. Chuaigh muintir an tseanbhaile a chodladh agus iad dóchasach go mbeadh na tithe réasúnta tirim ar maidin. Bhí díomá ar Rio agus gliondar ar a dhaid.

Bhí Síofra ag scimeáil ar an iPad go mall san oíche nuair a chuir Evan a seift i gcuimhne di arís. Bhí a dtuismitheoirí ina seomra féin, iad beirt chomh tuirseach nár chinntigh siad go raibh an bheirt óg imithe a luí.

"Fiú má bhainimid triail as mo sheift," arsa Síofra, "ba cheart duit labhairt le Mam agus Daid faoin mbulaíocht."

"Tá go leor trioblóidí eile acu," a d'fhreagair Evan. "B'fhearr go mór dúinn é seo a réiteach muid féin."

Ghéill Síofra do thuairim Evan. Bhí sé deacair a bheith stuama i gcónaí. "An plean atá agam," ar sí ansin, "ná magadh a dhéanamh faoi Chrúb agus a ghiollaí ar na meáin shóisialta. Cuirfimid pictiúir ghreannmhara ar Instagram agus Twitter agus mar sin de, agus déarfaimid go bhfuil créatúir aisteacha ar strae i mBaile an Chuain. Beidh crúb muice againn mar phictiúr de Chrúb, mar shampla."

Ní dúirt Evan tada. Ach cheap Síofra gurbh fhearr leis dul sa seans le plean craiceáilte ná a insint dá dtuismitheoirí gur inis sé bréaga dóibh.

"An pictiúr de Phéist, ar ndóigh, ná péist shleamhain ag lúbarnaíl i bpoll sa ghairdín. Ach n'fheadar faoi Scrogall? B'fhéidir seanchearc a bhfuil muineál fada uirthi? Nó crogall?"

Bhí cuma amhrasach ar Evan fós. Shuigh Síofra suas ar an tolg agus mhúch sí an iPad. "Is éard a theastaíonn ó bhulaithe ná cumhacht," ar sí. "Má thosaíonn daoine ag gáire fúthu, tuigfidh siad nach féidir leo eagla a chur orainn." Shlíoc sí a cuid gruaige fada. "Cuirfimid teachtaireachtaí amach leis na pictiúir, lena rá go bhfuil trua againn do na créatúir seo."

"Ach an mbeidh a fhios ag Crúb agus an bheirt eile cé a phostáil na pictiúir? Má thuigeann siad go bhfuil mise páirteach . . . ?"

"Ní tusa ná Rio a phostálfaidh iad, ach mise agus mo chairde. Míneoidh mé dóibh cad a rinne Crúb sa Mega-Spórt agus beidh siad lánsásta é a dhéanamh, geallaim duit. Bhí sé gránna, mar a bhéic sé amach ortsa agus ar Rio."

Dhúisigh Síofra go mall maidin Dé Domhnaigh. Bhí a tuismitheoirí sa chistin nuair a chuaigh sí síos staighre. D'inis siad di go ndeachaigh roinnt uisce sna tithe ar shráid Rio nuair a bhí barr taoide ann ar maidin. Ón gclós ar chúl na dtithe a tháinig an t-uisce agus bhí na brait urláir fliuch báite.

D'fhéach Síofra amach an fhuinneog ar an spéir íseal. Bhí plean ceaptha aici dá togra eolaíochta an oíche roimhe sin agus í ar an iPad. Chuardaigh sí eolas faoin ola a bhíonn in úsáid ar fud an domhain gach lá. Peitreal agus díosal do ghluaisteáin agus do bhusanna, ar ndóigh. An ola a dhóitear sna stáisiúin ghinte leictreachais. Agus na milliúin earraí plaisteacha a dhéantar as ola, na buidéil agus málaí agus boscaí plaisteacha a bhíonn á gcaitheamh sa bhruscar de shíor. As táirgí ola a dhéantar a lán éadaí freisin: stocaí níolóin, léinte poileastair, bróga reatha ina mbíonn an rubar déanta as ola. Mar an gcéanna an smidiú a chuireann mná agus cailíní ar a gcraiceann gach lá. Is iontach an rud an ola, de réir mar a léigh sí, murach an scrios aeráide a ghabhann léi. An teideal a bheadh ar a togra ná "Slán Slán leis an Ola".

Thiontaigh sí chuig a máthair. "An cuimhin leat go rabhamar ag caint . . . ?"

Tháinig Úna roimpi. "Ar mhaith leat teacht chuig oifig Splanc liom inniu," a d'fhiafraigh sí, "agus eolas a fháil do do thogra? "Mura bhfuil a lán obair bhaile agat, ar ndóigh?"

Bhí iontas ar Shíofra. "Ach inniu an Domhnach. Níl tusa ag dul ar obair arís, an bhfuil?"

"Beidh roinnt daoine istigh chun a chinntiú go bhfuil an gléasra amuigh sa chlós slán. Tá mé cinnte go mbeidh duine nó beirt acu sásta labhairt leat."

D'inis Síofra d'Evan cad a bhí socraithe acu. Nuair a d'fhillfeadh sí abhaile ó oifig Splanc, thosódh sí ag postáil pictiúr ar líne de Chrúb agus a ghiollaí.

"Thug tú leithscéal do Mham dul ar obair ar an Domhnach," arsa Evan go gruama. Bhí tuirse air féin, a d'admhaigh sé ansin. Dhúisigh sé go moch ar maidin agus é ag déanamh imní faoin mbulaíocht. Thosaigh sé ag imirt SÁRÚ ar an uaireadóir agus d'éirigh leis Leibhéal a Dó a chríochnú. An saol faoi smacht ag róbait agus ríomhairí an téama a bhí aige do Leibhéal a Trí. Ach bhí Rio gnóthach ag cabhrú lena dhaid sa teach. Ní raibh seans dá laghad go gcríochnóidís an cluiche ag an deireadh seachtaine.

"Coinnigh do mhisneach," arsa Síofra go críonna. "Níor chaill tú riamh cheana é."

D'fhéach Evan uirthi go tostach. Cheap sí go ndéarfadh sé nár tharla bulaíocht dó riamh cheana. Ach ina áit sin, las a shúile.

"Tá an ceart agat," ar sé. "Agus rachaidh mé libh chuig oifig Splanc. Má fhanaim sa bhaile liom féin an lá ar fad, rachaidh mé as mo mheabhair."

Caibidil a hAon Déag

Bhí oifig Splanc ar chnocán os cionn na farraige. Bhí calafort mór ag Baile an Chuain fadó, áit a mbíodh longa ag teacht is ag imeacht gach lá. Bhíodh tithe móra stórais thuas an cnocán ón gcalafort, ach inniu bhí a lán de na stórais folamh. Ar shráid amháin, áfach, cóiríodh na seantithe agus rinneadh oifigí nua astu. Bhí péint gheal ar na ballaí agus crainn óga ag fás ar an tsráid. Is ansin a bhí oifig Splanc. Teicneolaíocht nua, postanna nua agus dóchas as an nua.

"An bhfeicfimid na cosáin ghréine?" a d'fhiafraigh Evan. D'fhéach sé in airde ar an spéir ghruama liath. "Nó conas mar a oibríonn siad sa drochaimsir seo in Éirinn?"

"Cinnte, feicfimid an cosán trialach sa chlós," a d'fhreagair a mham, agus meangadh uirthi leis. "Agus ní gá go mbeadh an ghrian ag scaladh mar a bhíonn sa Sahára. Is ó sholas an lae a ghintear a lán den ghrianchumhacht leictreach."

"An dtógfaidh sé tamall fada na trialacha a dhéanamh ar an gcosán?" arsa Síofra.

"Nílimid cinnte fós. Cosnóidh sé na milliúin euro. Sin an fáth go bhfuil Mega ag ceannach Splanc, chun airgead mór a chur san obair. Tá cosáin den sórt seo á dtástáil san Ísiltír agus i dtíortha eile cheana féin, agus ba mhaith linne cur leis an obair sin."

Shroich siad geata a raibh ainm agus lógó Splanc air – grian bhuí agus splancanna leictreacha á radú aisti. Chonaic Evan painéil ghréine ar thaobh an fhoirgnimh, iad ag síneadh amach ó na ballaí mar a bheadh sciatháin ann. Bhí sé bródúil as a mham agus an obair nuálach a bhí ar siúl aici.

"Smaoinigh ar an saol a bheidh againn i gceann roinnt blianta," arsa Síofra go sásta, "nuair a bheimid ag siúl agus ag rothaíocht ar na cosáin seo ar fud Bhaile an Chuain. Nach mbeidh sé dochreidte ar fad?"

Chuaigh siad isteach geata ag cúl an charrchlóis, a d'oscail a mham le cárta leictreonach. Shamhlaigh Evan go bhfeicfeadh sé cosán iontach ag síneadh go bun na spéire, ach bhí an cosán trialach chomh beag le dhá nó trí spás páirceála do ghluaisteán. Bhí sé déanta de ghloine dhorcha a cuireadh síos ar leaca coincréite. Dúirt a mham go raibh cáblaí leictreacha faoin talamh agus thaispeáin sí bosca dóibh in aice leis an gcosán.

"Níl sé éasca fós fuinneamh na gréine a stóráil," a mhínigh sí. "Ach tá cadhnra den sórt is nua istigh sa bhosca seo. Tá súil againn an fuinneamh a úsáid chun soilse sráide a chur ag obair, agus leictreachas a thabhairt do na tithe agus na siopaí in aice láimhe."

"Bheadh sin go hiontach," arsa Evan agus iad ag siúl suas is anuas ar an gcosán. Fiche coiscéim ó thús go deireadh, b'in an méid. Ach dúirt sé leis féin go dtiocfadh feabhas ar an teicneolaíocht de réir a chéile. Chuimhnigh sé ar na heitleáin bheaga aisteacha a bhíodh ann ar dtús, i gcomparáid leis na cinn ollmhóra a bhí ag plódú na spéire sa lá inniu.

"Tá deacrachtaí go leor ann, dáiríre," arsa a mham. "Conas painéil atá ina luí ar an talamh a choimeád glan, mar shampla. Bíonn orainn a lán cruacheisteanna ó Mega a fhreagairt."

"Ar a laghad tá smaointe nua agaibh," arsa Síofra go diongbháilte. "An fhadhb is mó leis an athrú aeráide ná na daoine a ligeann orthu nach bhfuil sé ag tarlú."

Istigh san oifig, thaispeáin a mham físeán dóibh a rinne sí faoi na pleananna móra a bhí ag Splanc. Ní raibh ag obair don chomhlacht fós ach deichniúr agus bhí sise i gceannas ar an margaíocht. Ach dá gcuirfeadh Mega na milliúin euro sa togra, bhí súil ag Splanc go mbeadh postanna ar fáil do na céadta daoine. Dhíolfadh Splanc an teicneolaíocht le tíortha eile agus lá éigin dhéanfaí staighrí, bóithre agus carrchlóis mhóra de phainéil ghréine freisin.

Chaith Síofra leathuair an chloig ag comhrá le fear óg faoi conas mar a bhí tograí ollmhóra grianchumhachta ag leathadh ar fud an domhain. Tar éis tamaill, bheartaigh Evan teachtaireacht a chur chuig Cara. Ba bhreá leis féin agus Rio dul ar cuairt uirthi chun SÁRÚ a imirt, ar sé. *Rudaí nach dtuigmd ag tarlú, haicl bfedr, iontach labhrt leatsa faoi.*

Níor fhreagair sí é agus d'fhéach Evan siar ar an bhfíorthasc do Leibhéal a Dó a shábháil sé ar an bhfón. Scéalta a d'inis teifigh óga ar an idirlíon a chuir sé le chéile don tasc. Ní raibh aon tuairim aige cén fíorthasc a dhéanfadh sé do Leibhéal a Trí, maidir le róbait ag fáil smachta ar an saol. Agus tháinig pian ina bholg agus é ag smaoineamh ar an gcluiche. Lá amháin eile go dtí go mbeadh Crúb ag fanacht leis ag an Astro. Seans eile ag na bulaithe sárú air féin agus ar Rio.

Bhí braonacha báistí ag titim nuair a d'fhág Evan, Síofra agus a máthair oifig Splanc. Bhí gluaisteán mór dubh ag moilliú ag an ngeata agus iad ar a slí amach. Stán Evan air. D'aithin sé uimhir an ghluaisteáin. An bhliain, litreacha an chontae agus ansin an uimhir 10101. Uimhir a bhí cosúil le cód ríomhaireachta. An gluaisteán céanna a thiomáin Lupita go dtí an trá.

Tháinig fear caol ard amach ó shuíochán an tiománaí agus shiúil sé go dtí doras Splanc. Thug Evan faoi deara gur ghluais sé go bog, mar a dhéanfadh cat. Bhí a chulaith gheal ina luí go síodúil air mar a bheadh fionnadh. Bhí a shúile beoga agus a chluasa biorach.

Thosaigh a mham ag labhairt le garda slándála ag an ngeata. Chuala Evan a ainm féin á ghlaoch amach ón ngluaisteán. Cara a bhí ag faire amach an fhuinneog air.

"Cén fáth a bhfuil sibhse anseo?" ar sí.

"Cén fáth a bhfuil tusa anseo?" arsa Evan.

Chroith Cara a guaillí. Bhí a fón ina lámh aici agus scrúdaigh sí ar feadh cúpla soicind é. "Chuir tú teachtaireacht chugam," ar sí. "Cén uair a bhí tú ag ceapadh teacht ar cuairt?"

"Chomh luath agus is féidir," arsa Evan. Níor thuig sé an raibh Cara sásta nó míshásta.

"Ní thaitníonn cuairteoirí le m'athair," arsa Cara. D'fhéach sí go hamhrasach ar Shíofra, a bhí ag teacht ina dtreo. "Cuirfidh mé téacs chugat. Ba mhaith liom féin rud éigin sa chluiche a thaispeáint duit."

Bhí an bháisteach ag éirí níos troime. Ghabh Evan buíochas léi. B'fhéidir gur cheart dó Síofra agus a mham a chur in aithne do Chara. Ach dhún sise fuinneog an ghluaisteáin nuair a bhí a cuid ráite. Lá eile, a dúirt Evan le Síofra agus iad ag deifriú go dtí an geata.

Bhí scáth báistí ag a mham agus chuir sí in airde é. D'fhéach sí go fiosrach ar Evan agus iad ag siúl amach an geata. "An bhfuil a fhios agat cé hé an fear a tháinig amach as an ngluaisteán mór dubh? An é go bhfuil aithne agat ar a iníon?"

Ba é Evan a chroith a ghuaillí an uair seo. Bheadh air cead a fháil óna thuismitheoirí dul go dtí teach Chara, ach fós níor mhaith leis a lán a insint dóibh fúithi.

"Damian Ó Mórdha is ainm dó," arsa a mham. "Is Éireannach é a bhí ina chónaí i Meiriceá le fada. Tá sé i gceannas ar Mega in Éirinn agus táimidne ag obair ó mhaidin go hoíche chun a chruthú dó gur comhlacht iontach é Splanc."

Bhí athair Chara i gceannas ar Mega. Ní raibh suim aici sa chomórtas ach bhí an-eolas aici ar SÁRÚ. B'fhéidir go raibh na freagraí ar gach leibhéal aici ar a ríomhaire sa bhaile. B'fhiú go mór dul ar cuairt chuici.

Scaip Síofra agus a cairde pictiúir ar an idirlíon an tráthnóna sin. Crúb muice, péist shleamhain agus scrogall circe. Créatúir bhochta ar strae ar na sráideanna fliucha. Bhí Evan fós in amhras faoin bplean ach ní dúirt sé sin lena dheirfiúr. Níor thug sé fiú spléachadh ar na meáin shóisialta. Bhí uimhir fóin nua aige ach bhí eagla air go mbeadh Péist ag sliodarnach anseo is ansiúd ar líne, chun slite nua bulaíochta a lorg.

Bhí a mham ag faire ar a ríomhaire glúine nuair a shiúil sé isteach sa chistin roimh am béile. Thuig Evan láithreach go raibh fearg uirthi.

"Fuair mé ríomhphost ón Mega-Spórt," ar sí. "Rud éigin faoi liathróidí a tógadh ón siopa ansin inné? Níl am agam don sórt seo gearáin, a Evan."

Rinne Evan leithscéal faoina anáil. Ní raibh an focal "gadaíocht" luaite ag a mham. Míthuiscint a bhí ann, ar sé. Bhí sé féin agus Rio ag pleidhcíocht, b'in an méid.

"Tá cruinniú tábhachtach agam ag a sé a chlog amárach, a Evan. Má chloisim gearán ar bith eile ón Mega-Spórt, tógfaidh mé an t-uaireadóir cliste uait. Ba chóir go mbeadh ciall agat anois agus tú ar an meánscoil."

Rinne Evan leithscéal arís eile. Bhí iontas air nár fhiafraigh sí cad é go díreach a tharla. Nuair a bhí rudaí as bealach déanta aige cheana, cheistigh sí é ar feadh leathuair an chloig agus cuireadh pionós air.

"Beidh an fear sin Damian ag an gcruinniú amárach. Caithfidh mise taispeántas Powerpoint a chur i láthair, maidir leis na buntáistí móra do Mega má ghlacann siad páirt san obair ar na cosáin ghréine. Tuigeann tú anois chomh tábhachtach is atá sé go n-éireoidh linn."

Chuala Evan cling óna phóca sular shuigh sé síos don dinnéar. Téacs ó Chara a bhí ann. *Tar ar cuairt 5.30pm amár. Tusa ach ní Rio. Baileoidh Lupita thú. Seans agat fíorthasc L3 a dhenv fresn.*

Bheadh athair Chara ag an gcruinniú in oifig Splanc tráthnóna Dé Luain. Ní bheadh sé sa bhaile nuair a rachadh Evan ar cuairt ar an teach. Ach bheadh Rio míshásta nach raibh seisean ag dul ann. Agus bheadh Crúb agus a ghiollaí fíor-mhíshásta gan Evan a fheiceáil ag an Astroturf ag a cúig a chlog.

Caibidil a Dó Dhéag

Thosaigh Evan ar an obair bhaile nuair a d'fhill sé abhaile ón scoil ar an Luan. Ach bhí a intinn ar rudaí eile. Bhí a dhaid sa bhaile agus gan focal ráite ag Evan leis féin ná lena mham faoin socrú le Cara. Bhí gach duine fós ag caint faoin drochaimsir agus na tuilte in áiteanna éagsúla sa tír. Bhí eagla ar Evan nach gceadófaí dó dul amach.

Ag a cúig a chlog, dúirt a dhaid go raibh sé ag dul síos an baile. Bhí an abhainn an-ard agus an taoide ar a slí isteach. Bhí an Luan measartha tirim ach bhí an bháisteach ag stealladh ar feadh na hoíche roimhe. Thóg Tomás dinnéar as an reoiteoir do Shíofra agus Evan. Bheadh a mham sa bhaile ag a hocht a chlog. Bhí súil aige go mbeadh an obair bhaile ar fad déanta acu faoin am sin.

Dúirt Evan leis féin go sroichfeadh sé an baile roimh a thuismitheoirí. Fiú dá dtosódh an bháisteach arís, bheadh sé féin go deas tirim sa ghluaisteán le

Lupita. Ansin d'inis Síofra dó go raibh ag éirí go hiontach lena plean ar na meáin shóisialta. Bhí físeán díreach faighte aici ó chara a bhí ag an Astro. Ar an bhfíseán, bhí Crúb, Péist agus Scrogall le feiceáil ag ciceáil liathróide. Bhí scata cailíní ar an taobhlíne ag magadh fúthu. Hé, a chréatúirí! Chonaiceamar ar an idirlíon sibh, ar siad go spraíúil. Féach an peata muicín, ar siad le Crúb. Béile péistí do na héin, neam neam, a gháir siad le Péist. Grág grág arsa an chearc, a bhéic siad le Scrogall.

Bhí Crúb ar mire faoin magadh. Thosaigh sé ag argóint le Péist agus Scrogall. Tar éis tamaill d'imigh siad leo ón Astro. Bhí canna bruscair ina luí ar an gcosán agus chiceáil siad go cantalach é.

Bhí gliondar ar Evan an scéal a chloisteáil. Agus bhí sceitimíní ag teacht air faoina chuairt ar Chara. Chuir sé air an t-uaireadóir cliste. Cad a d'inseodh sí dó faoin gcluiche? Mór an trua go raibh Rio míshásta, áfach, nuair a labhair Evan leis ag am lóin. Míshásta agus amhrasach. Beware dul sa chaisleán mór ar an gcnoc i d'aonar, arsa Rio. Ba cheart domsa bheith in éineacht leat. Níl a fhios againn cén sórt carad í Cara.

Bhí Síofra fós ar na meáin shóisialta nuair a bhí Evan ag imeacht. Dúirt sé léi go tapa go raibh sé ag dul go teach Chara ar feadh uair an chloig. Thug sé le fios dá dheirfiúr go bhfuair sé cead dul ann. Thuig Evan go raibh seans mór á ghlacadh aige. Ach bhí fonn damanta air an comórtas a bhuachan. Agus bhí fonn an domhain air sárú ar an bpian agus ar an náiriú a d'fhulaing sé ó Chrúb.

Bhí Lupita ag fanacht le hEvan ag barr an bhóthair. D'imigh siad leo sa ghluaisteán mór dubh. Nuair a bhí siad leathshlí go dtí an scoil sa Rosán, d'fhág siad an bóthar mór. Chas siad ar chlé agus síos bóthar fada caol faoi scáth na gcrann. Ní dúirt Lupita ach cúpla focal leis, ach labhair sí le scáileán a bhí os a comhair. Thug sí ordú maidir le gléas níochána a mhúchadh, agus an teas a chur ar siúl. Thuig Evan go tobann go raibh sí ag labhairt le córas ar an idirlíon. Bhí sí in ann gléasanna sa teach a smachtú ón ngluaisteán.

Ansin chonaic sé Cara ar an scáileán. Bhí ríomhairí agus gléasra eile ina timpeall. D'fhéach sí i dtreo an cheamara nuair a labhair Lupita léi as Spáinnis. Bhí t-léine fada scaoilte uirthi agus smidiú dubh ar a súile.

Shroich an gluaisteán geataí móra miotail. Labhair Lupita arís agus osclaíodh na geataí go mall. Tháinig solas láidir ar siúl ag an am céanna. Bhí an tráthnóna ag éirí dorcha agus chonaic Evan scáileanna na gcrann ag luascadh faoin ngaoth.

D'fhéach sé amach ar an ngairdín a bhí lasta ag soilse an ghluaisteáin. Ní raibh féar ná sceacha ag fás ann. Clocha liathbhána a bhí ar an talamh, agus dealbha miotail anseo is ansiúd. Bhí ciorcal de chrainn chaola i lár an ghairdín, ach dath an airgid a bhí orthu agus iad déanta de mhiotal freisin. Bhí ceamaraí ag an ngeata, bhí Evan lánchinnte de sin, agus ní raibh áit ar bith sa ghairdín le dul i bhfolach ann. Ní fhéadfá teacht ar cuairt ann gan cuireadh a fháil roimh ré.

Thiomáin Lupita síos le fána. Thíos i logán a bhí an teach agus cnoic mhóra timpeall air. Bhí sé difriúil le gach teach a chonaic Evan riamh cheana. Foirgneamh triantánach dubh a bhí le feiceáil ar dtús, agus triantán mór bán ag gobadh amach ar a chúl. Bhí pasáiste gloine idir an dá thriantán, agus stop Lupita an gluaisteán in aice leis.

Thug Evan faoi deara go raibh ceamara beag bídeach os cionn doras an phasáiste. Bhraith sé nach in Éirinn a bhí sé, ach i dtír aisteach nua-aimseartha ina raibh smacht ag ceamaraí agus ag ríomhairí ar an saol. D'iarr Lupita air a lámh a chur ar phainéal miotail ar an mballa.

"Do mhéarlorg atá á thaifeadadh," arsa Cara, nuair a osclaíodh an doras. "Tá gléas ar gach doras sa teach a aithníonn méarlorg an duine a chuireann lámh air. Tuigeann tú anois conas a dhéanfaidh tú an fíorthasc do Leibhéal a Trí."

"An é go bhfuil cead agam físeán a dhéanamh de na gléasanna seo?" a d'fhiafraigh Evan nuair a d'imigh Lupita síos an pasáiste.

"Cinnte. Tar isteach chuig oifig m'athar agus taispeánfaidh mé pictiúr do mhéarloirg duit ar an ríomhaire."

"Ach an bhfuil cead agatsa . . . ?" Bhí an oiread

iontais ar Evan faoin teach nach raibh sé in ann ceisteanna simplí a chur uirthi.

D'fhéach Cara air go socair agus a cluasa ar bior. "Tá ceamara ar an ríomhaire san oifig freisin," ar sí, "ach tá sé múchta agam. Is maith le m'athair comhrá daoine eile a thaifeadadh. Ach athraímse an t-am ar na ceamaraí agus ní thuigeann sé go raibh siad múchta."

"An bhfuil tú lánchinnte . . . ?"

Chroith Cara a ceann go docht. "Déanaim a lán rudaí i ngan fhios dó. Is breá leis an gléasra seo ar fad ach ní bhíonn an t-am aige féachaint ar na taifeadtaí."

"Caithfidh go dtuigeann sé . . . ?" Bhí an-iontas ar Evan faoin dóigh ar labhair Cara faoina hathair.

"Ceapann sé nach bhfuil suim ar bith agam sna ríomhairí. Bím i gcónaí ag léamh nuair a bhíonn seisean sa bhaile."

"Cad faoi Lupita? Agus an bhfuil aon duine eile sa teach?"

Go bog séimh a d'fhreagair Cara an uair seo. "Tá Lupita ceart go leor. Rachainn ar mire anseo gan Lupita, go háirithe ó bhí mo mham . . ." Stad sí agus d'fháisc sí a beola le chéile. "Is duine ciúin é fear céile Lupita. Tá seisean amuigh anocht. Thiomáin sé m'athair chuig an gcruinniú."

Shiúil an bheirt acu ó sheomra go seomra. Ghlac Evan píosaí físeáin de na ceamaraí slándála agus dá lámh féin ag oscailt dorais. D'oscail Cara cófra agus tháinig róbat amach, a thosaigh ag glanadh an urláir. Bhí Cara ag gáire nuair a chonaic sí an t-iontas ar aghaidh Evan. Chuaigh siad isteach i seomra suite beag. Bhí croí Evan ag bualadh go tréan nuair a shuigh siad síos le chéile. Bhí Cara difriúil le gach cailín a casadh air riamh cheana. Ba bhreá leis greim a bhreith ar a lámh agus caradas níos fearr a dhéanamh léi. Maith an rud é nach raibh Rio in éineacht leo.

"Is féidir leat ceisteanna a chur orm don tasc," ar sí. "Ach beidh ort eagarthóireacht a dhéanamh ar na píosaí físeáin, chun nach dtuigfear cén teach ina raibh tú. Ba chóir duit mo ghuth a athrú ar an ríomhaire freisin. An féidir liom muinín a chur ionat sin a dhéanamh?"

"Cinnte dearfa," arsa Evan. Bhí gliondar air faoin sórt comhrá a bhí ar siúl acu.

"Is fuath liomsa an teicneolaíocht seo ar fad," ar sí ansin. "Cuireann na ceamaraí stop le gadaithe agus mar sin de. Ach an dóigh leat go dtiocfadh do chairde ar cuairt ort dá mbeadh ceamaraí ag faire orthu an t-am ar fad?"

"Cé a fhéachann ar na taifeadtaí ó na ceamaraí slándála?"

"Lupita agus a fear céile. Agus m'athair, ó am go ham. Ní fhéachann siad ar gach rud, ach fós tá na taifeadtaí sin cosúil le barraí miotail a chuirfí ar ainmhí fiáin sa zú."

Go fíochmhar a labhair Cara agus bhí trua ag

Evan di. Bhí a lán ceisteanna fós le cur aige faoi róbait agus ríomhairí agus intleacht shaorga. Na buntáistí chomh maith leis na míbhuntáistí. Ach bhí ceisteanna níos tábhachtaí fós ar a intinn, faoin saol a chaith Cara agus cén sórt duine a hathair. Chuir sise stop leis an agallamh go tobann, áfach, agus d'fhéach sí ar a fón.

"D'ordaigh mé píotsa dúinn," ar sí. "Cheap mé go mbeadh ocras ort. Tá veain ar a slí isteach an geata leis an bpíotsa. Nuair a bheimid á ithe, is féidir linn labhairt faoi SÁRÚ."

"Ceart go leor," arsa Evan. Bhí teach Chara draíochtúil agus scanrúil san am amháin. Bhí sise cliste, cróga. Bhí sé bródúil go raibh sí ag cabhrú leis an cluiche a imirt. Chonaic sé dhá théacs ar a fhón ó Shíofra. D'fhreagródh sé i gceann tamaill iad, ar sé leis féin.

Shiúil siad trasna an phasáiste gloine agus isteach i seomra ard triantánach. Dathanna dearga agus bána a bhí ar an troscán. Bhí balla amháin clúdaithe le scáileán ollmhór teilifíse. Seomra suite a bhí ann, é chomh snasta le pictiúr in iris ghalánta. Nuair a shroich siad halla beag, thosaigh Cara ag cliceáil ar a fón.

"Seas ag an doras," ar sí, "agus déanfaidh mé píosa físeáin díot don tasc."

Rinne Evan mar a dúradh leis. Bhrúigh sé ar phainéal ar an mballa agus shleamhnaigh an doras i leataobh. Lasadh solas mór lasmuigh.

Bhí veain páirceáilte gar don teach. Ghlac Evan coiscéim amach an doras. Go tobann rugadh greim ar a lámh agus ardaíodh san aer í. Scrogall a bhí ina sheasamh ar imeall an tsolais. Bhí a mhéara tanaí ag fáisceadh ar an uaireadóir.

His skinny hands were around the watch already

Ghlaoigh Evan amach ar Chara. Dúirt sí rud éigin ach níor thuig Evan cad é. Bhí an doras fós ar oscailt ach níor rith sí amach chun stop a chur le Scrogall.

Chonaic Evan duine eile ag siúl go mall, sotalach ón veain. Duine láidir ab ea é, ar thaitin sé leis smacht a imirt ar an lag. Crúb agus Scrogall tagtha le chéile ón siopa píotsa ina raibh Scrogall ag obair. Bhí a fhios acu go raibh Evan ar cuairt i dteach Chara.

Thosaigh Crúb ag gáire. Agus ní gáire deas cairdiúil a bhí ann.

- Tá atmaisféar bagrach ag deireadh an chaibidil seo
- Tá teanga láidir ann
- Níl a fhios againn cad atá i ndán d'Evan

Caibidil a Trí Déag

"Féach an leaidín bocht," arsa Crúb de ghlugar sásta. "Thugamar gach seans dó agus níor éist sé linn. Ní píotsa atá le fáil aige anois ach pianta."

Sháigh Evan a uillinn isteach i mbolg Scrogaill. Thug Scrogall buille dó siúd. Bhuail Evan cic ar a rúitín ach thug Scrogall cic níos láidre dó siúd. Bhí greim ag Scrogall ar a dhá lámh anois. Bhí Crúb ag druidim leo. Bhí Evan misniúil ach bhí na bulaithe gan trócaire.

Bhí Cara imithe as radharc agus Evan sáinnithe. Botún déanta aige teacht ar cuairt uirthi ina aonar.

Maith an rud é go raibh a sheanchara ag faire amach dó. A sheanchara Rio to the rescue. Rio a bhí cromtha taobh thiar den veain agus é ag faire ar an troid. Bhí sé in amhras faoi Chara ón gcéad lá. Chuir sé fainic ar Evan go raibh sí contúirteach. Ach níor éist Evan leis. Ní raibh de rogha ag Rio ach plean a cheapadh dó féin. Fuair sé amach ó chara Shíofra cá raibh an teach. Tháinig sé amach faoin tuath ar a rothar ag a cúig a chlog, síos an bóthar fada caol faoi scáth na gcrann. Lucky gur stop an bháisteach ar feadh tamaill. D'inis sé dá dhaid go raibh sé chun cabhrú le cara scoile leis an obair bhaile. Some chance, ach bhí a dhaid fós buartha faoin abhainn agus a mham fós i dteach a aintín leis na leanaí.

D'fhág Rio a rothar taobh thiar de chrann agus chuaigh sé i bhfolach in aice leis an ngeata miotail. Éadaí dubha ar fad a bhí air. Caipín dubh anuas ar a shúile, scairf dhubh ar a aghaidh. Rio an fear dubh nach raibh le feiceáil fiú nuair a lasadh na soilse ar an ngeata. Lucky go raibh scáileanna na gcrann ag luascadh faoin ngaoth. Isteach leis sa ghairdín go gasta nuair a thiomáin Lupita thairis.

Bhí greim ag Crúb ar lámh chlé Evan anois. Chas sé caol na láimhe go tobann, nimhneach. Shrac sé siar a ordóg. Bhí sé deacair féachaint ar do sheanchara agus é i bpian – fiú má bhí cuid den locht air féin. Bhí Evan róchairdiúil le Cara, for sure, ach ní raibh éad ar Rio níos mó. Bhí air troid a chur ar an éad, a bheartaigh sé, agus anois bhí air troid a chur ar na bulaithe freisin.

Action time, más ea. Caithfidh gur inis Cara do Phéist go mbeadh Evan ina teach. D'ordaigh sí píotsa ar an bhfón agus tháinig Crúb agus Scrogall isteach an geata sa veain. Is dócha gur mhaith léi cabhrú leis na bulaithe an cluiche a bhuachan.

Luasc Rio a lámha chun é féin a théamh. Tháinig

sé isteach an geata go héasca ach is ansin a thosaigh na problems. Gairdín an-aisteach, clocha bána ar an talamh agus cúpla crann miotail ina lár. Ceamaraí sa ghairdín gan amhras. D'fhan sé faoi scáth an bhalla agus é ag gluaiseacht ón ngeata de réir a chéile. Nuair a tháinig an veain isteach an geata, bhí Rio deich méadar ó dhoras an tí.

Bhí cúldoras an veain ar oscailt. Scrogall a d'oscail é chun an píotsa a thógáil amach. Bhí greim ag Scrogall ar Evan agus bhí Crúb ag obair ar a mhéara, á lúbadh siar ceann ar cheann. An cleas céanna a rinne sé ag an Astro. Thaitin sé leis daoine a ghortú. Rinne sé fear láidir de féin nuair a chonaic sé an eagla i súile duine eile.

Thug Rio spléachadh ar dhoras an tí. D'fheicfí ar an gceamara é ach bhí air a chara a shábháil. Go deas socair anois chun sárú ar na buachaillí móra.

Isteach i gcúl an veain le Rio. Sciob sé bosca píotsa i bhfaiteadh na súl. Chonaic sé cannaí cóc i mbosca eile agus sháigh sé cúpla ceann ina phócaí. Amach as an veain chomh tapa céanna.

A shúile dúnta ag Evan agus deora ar a leiceann. Crúb gan trócaire. An t-uaireadóir á bhaint aige de lámh Evan.

"Ba bhreá liom do chnámha a bhriseadh, a leaidín, ach tá sé in am dúinn imeacht as seo," arsa Crúb. "Mór an trua nár thug tú d'uaireadóir cliste dom an chéad lá a d'iarr mé é."

Ní deora amháin a bhí ar leicne Evan ach

báisteach. Thit braonacha ar an talamh timpeall ar Rio. An spéir ag caoineadh agus ag gol.

Crúb agus Scrogall ag éirí fliuch. An bháisteach ina plob plab ar a gcloigne.

"Hé, a Chrúb!"

Thiontaigh an bulaí a cheann. Léim Rio amach os a chomhair agus an bosca píotsa ar oscailt aige. Bhain sé geit as Crúb. Bhrúigh Rio an bosca oscailte ar a smig lena dhá lámh. Rio abú, what a score!

Bhí an píotsa fós te agus bhéic Crúb leis an bpian. Ba bheag nár bhéic Rio amach ag gáire. Bhí cáis agus anlann trátaí ar smig Chrúb. Taos píotsa ar a chluasa agus slisín salami ag titim dá shrón. Agus cúpla cic láidir buailte ag Evan ar Scrogall.

Go tobann bhí súile Scrogaill ag sileadh. Ní deora ná báisteach a bhí ag sileadh astu ach an deoch cóc a steall Rio air. Leacht milis ag doirteadh síos a leicne. Scrogall ag mallachtú go hard.

"Cad as . . . ?"

Bhí an cheist fós i mbéal Evan nuair a tharraing Rio i leataobh é. Bhí doras an tí á oscailt arís agus daoine ag teacht amach. "Seo linn outta sight!" arsa Rio faoina anáil.

Chúlaigh siad timpeall chúinne an tí. Foirgneamh fíor-aisteach, no question. Ní raibh solas ar bith sa phasáiste gloine idir an dá thriantán mór. Chrom siad ag an gcúinne, ag gliúcaíocht i dtreo an dorais tosaigh.

"Conas a éalóimid . . . ?" a d'fhiafraigh Evan. Bhí

a lámh chlé fáiscthe faoina ascaill aige agus é ag iarraidh an phian a mhúchadh.

"Ceist mhaith. Róchontúirteach rith go dtí an geata fós. Fan go bhfeicfimid . . ."

Bhí an bháisteach ag clagarnaíl anuas orthu. Ní raibh Rio in ann a chloisteáil cad a bhí á rá lasmuigh den doras. Crúb agus Scrogall ag glanadh a n-aghaidh shalach. Cara agus Lupita ag argóint leo. Bulaithe agus cladhairí ag sárú ar a chéile.

Bhí iontas ar Rio iad a fheiceáil ag argóint. Cara ag ligean uirthi go raibh fearg uirthi, is dócha. A méar sínte aici i dtreo an cheamara os cionn an dorais. Guthanna ag ardú. Doirn san aer.

Dhún Scrogall cúldoras an veain. Léim sé féin agus Crúb isteach. Lasadh an t-inneall agus away leo ar ardluas go dtí an geata.

"Rómhall dúinne éalú anois," arsa Rio. "Plean B ag teastáil."

Bhí díon leathan triantánach ar an bpasáiste gloine. Sheas sé féin agus Evan isteach faoin díon chun foscadh a fháil ón mbáisteach. Las splanc thintrí sa spéir. Phléasc buille toirní sna cnoic. Bhí stoirm ag briseadh gan choinne. Lá amháin kinda tirim agus an aimsir fiche uair níos measa an tráthnóna sin. É féin agus Evan i sáinn i ngairdín Chara. Ballaí móra agus ceamaraí ina dtimpeall.

Bhí Evan fliuch báite, gan seaicéad ná caipín air. Ach nuair a d'fhéach sé arís ar Rio, rinne sé meangadh geal leis.

"Bhain tú geit as Crúb, geallaim duit, nuair a thuirling an píotsa ar a smig. A leithéid de phraiseach!"

"Agus as Scrogall, nuair a steall mé an cóc right ina shúile!"

"Ar éigean a chreid mé é nuair a chuala mé do ghuth, a Rio" arsa Evan. "Go raibh míle . . ." D'athraigh guth Evan go tobann. Chrom sé agus chlúdaigh sé a shúile lena lámha. D'fhan Rio ina thost. Ní raibh sé éasca do chara is fearr a fheiceáil ag gol.

"Tá mé ar mire le Cara," arsa Evan go híseal. "Ar deargmhire. D'iarr sí orm muinín a chur inti. Agus cé bhí ag an doras ach na diabhail sin? Fuair siad an t-uaireadóir . . ."

"Bet you gur thóg siad an veain ón siopa píotsa gan chead. Níl siad fiú ocht mbliana déag d'aois."

"Níor éirigh le plean Shíofra ar aon nós," arsa Evan go gruama. "Caithfidh go raibh fearg ar Chrúb faoin méid a tharla ag an Astro agus gur bheartaigh siad teacht anseo agus mé a ionsaí."

Phléasc tintreach agus toirneach os a gcionn arís eile. An spéir á scoilteadh agus á réabadh. Ní doirteadh ná stealladh báistí a bhí ann anois ach díle. Scamaill mhóra dhubha ag tuirlingt ón spéir gan trócaire. Sruthanna uisce ag scuabadh síos le fána.

Chuala siad pléasc eile ón gcnoc ar chúl an tí. Trup mar a bheadh balla á leagan. Rug Evan ar Rio agus stán siad isteach trí ghloine an phasáiste. Ní toirneach a phléasc an uair seo. Bhí cuid éigin den teach briste, scriosta.

Múchadh na soilse ar fad. Bhí an teach agus an gairdín dubh dorcha. Bhí an ghaoth ag búiríl agus an bháisteach ag síobadh anuas orthu.

Chuala Rio agus Evan guth sa dorchadas. Bhí solas íseal dearg os cionn an dorais, áit a raibh Cara ina seasamh.

"Caithfidh sibh cabhrú linn! Le bhur dtoil!"

Caibidil a Ceathair Déag

Stán an triúr acu ar a chéile. Súile Evan ar lasadh le fearg. Súile Rio ag preabadh le hiontas. Súile Chara ag líonadh le deora.

"Ná labhair léi," arsa Evan le Rio. "Caithfimid imeacht as seo."

Bhí Cara ag impí orthu. "Tá an teach scriosta agus an leictreachas múchta. Tá Lupita gortaithe. Agus níl fón agam . . ."

"Conas a chreidfimis focal uait? Chuir tú dallamullóg orm anocht. Thóg do chairde gránna m'uaireadóir."

Bhí tost eatarthu. Tost gan chiúnas. Bhí toirneach fós ag pléascadh sna cnoic. An bháisteach ag plabadh ar na clocha sa ghairdín.

"Tá d'uaireadóir agam, a Evan." Deora dubha a bhí ar leicne Chara, ón smidiú a bhí ag sileadh óna súile. "Míneoidh mé gach rud duit. Ach le bhur dtoil . . ."

Ghlac Evan agus Rio coiscéim ina treo. Bhí amhras fós orthu go raibh cleas á imirt aici.

"Ní raibh mé in ann stop a chur leis na bulaithe," arsa Cara. "Bhí mé chun cabhair a fháil ó Lupita ach ansin smaoinigh mé ar na ceamaraí. Rinne mé taifeadadh den bhulaíocht agus cheap mé . . ."

D'oscail Cara a lámh. Faoin solas íseal os cionn an dorais, chonaic siad an t-uaireadóir cliste. Shín sí chuig Evan é.

"Cabhraígí liom le bhur dtoil. Tá Lupita ina luí ar an urlár agus níl a fhios agam . . ."

D'amharc Evan agus Rio ar a chéile. Dheifrigh an triúr acu síos an pasáiste gloine. Las Evan tóirse ar an bhfón. Bhí roinnt gloine bhriste ar urlár an phasáiste, ach ba bheag sin i gcomparáid leis an scrios sa seomra suite. Bhí poll mór millteach sa bhalla. Bhí cuid de chrann ag gobadh tríd an bpoll. Faoi sholas an tóirse chonaic siad clocha agus láib ar fud na háite. Agus bhí Lupita ina luí ar an urlár.

"Glaoigh ar otharcharr, a Rio!" arsa Evan. Dhírigh sé an solas ar an talamh in aice le Lupita. Bhí a súile dúnta ach bhí a beola ag corraíl. Chrom Cara síos in aice léi. Rug sí greim ar lámh Lupita agus labhair sí go bog. Chuir sí a cluas suas le béal Lupita agus í ag éisteacht.

"Tá sí lag leis an bpian," arsa Cara. "Dá bhféadfaimis an bord a bhogadh . . . ?"

Bhí Rio fós ar an bhfón. Nuair a bhí an glao thart, d'inis sé dóibh go raibh an bóthar as Baile an Chuain dúnta. Bhí scrios ar fud an cheantair. Tharla sciorradh talún, píosa mór millteach de chnoc a bhris agus a shleamhnaigh síos ar na tithe agus na bóithre. Bhí an t-otharcharr ar a shlí go dtí an teach ach gach seans go mbeadh moill air.

Stán an triúr óg ar a chéile arís eile. Bhí Lupita i gcontúirt. Ní raibh duine fásta ar bith sa teach a réiteodh na fadhbanna móra a bhí acu.

"Seo linn!" Chrom Rio síos in aice le Lupita. "Tógfaidh mise an cúinne seo den bhord. Déanaigí sibhse . . ."

"Caithfimid é a ardú go réidh," arsa Cara. "Má thiteann sé ónár lámha . . ."

"Déanfaimid comhaireamh," a dúirt Evan. Tharraing sé a mhuinchille anuas ar a lámh chlé. Bhí a mhéara fós an-nimhneach ach bheadh air cur suas leis sin. Leag sé an fón ar an urlár. Bhí scáileanna aisteacha á gcaitheamh ag an solas. Bhí an ghaoth agus an bháisteach ag séideadh isteach tríd an bpoll mór sa bhalla.

"A haon, a dó, a trí." Go mall réidh a chomhair Evan nuair a bhí greim ag an triúr acu ar imeall an bhoird. Bhí sé damanta trom. Bhí sé fíordheacair greim a choimeád air agus é a ardú. Ach bhí Rio láidir agus chuir sé a ghualainn leis ag an nóiméad ceart. Bhí Cara agus Evan beag dá n-aois ach bhí siad cróga, diongbháilte.

Go trom tobann a leag siad síos an bord nuair a bhí sé slán ar Lupita. Agus bhí obair fós le déanamh. Bhain Cara a léine agus cheangail sí ceann de na muinchillí timpeall ar chos Lupita go cúramach. Bhí fuil ag sileadh óna cos, ar sí. Chuardaigh Rio treoracha ar líne faoi chosa briste ach ní raibh ceangal idirlín le fáil. D'iarr Cara ar Evan tuáillí nó pluideanna a lorg i gcófra sa chéad seomra eile. Ba cheart Lupita a choimeád te teolaí, a dúirt sí.

Nuair a tháinig Evan ar ais ón seomra eile, shuigh sé siar ar an urlár. Ar éigean a chreid sé an radharc uafásach sa seomra. Scrios mar a dhéanfadh crith talún nó cogadh. Scáileán mór an teilifíseáin ina smidiríní. Crann agus clocha stróicthe ón gcnoc agus iad réabtha isteach sa teach ag na sruthanna móra uisce. Dúirt Cara go raibh sise sa phasáiste gloine nuair a tharla sé. Bhí sí ar tí Evan agus Rio a lorg chun an t-uaireadóir a thabhairt dóibh. Rith Lupita isteach sa seomra suite nuair a chuala siad an trup pléascach, amhail is go raibh an teach ag titim.

Ghlaoigh Cara ar a hathair. Bhí sé fíorbhuartha nuair a chuala sé an scéal. Bhí sé sáinnithe i mBaile an Chuain de bharr na stoirme. Bhí iontas air go raibh cairde le Cara sa teach agus iad ag cabhrú léi.

Ghlaoigh Evan ar a mhuintir siúd freisin. Bhí Síofra tar éis téacsanna a chur chuige níos luaithe, á rá go raibh Tomás ar buile go raibh Evan amuigh faoin tuath le linn na stoirme. Ach chiúnaigh Tomás ar an bhfón nuair a thuig sé chomh dona is a bhí cúrsaí. Nuair a d'osclófaí an bóthar rachadh sé féin amach chun iad a thabhairt abhaile, ar sé le hEvan. Ní bheadh Rio in ann fanacht ina theach féin mar gur bhris an abhainn thar bruach arís. Bhí tithe agus siopaí ag bun an bhaile faoi uisce. Bhí Rio ar a dhícheall glaoch ar a dhaid ag an am céanna ach gan freagra le fáil aige.

Nuair a bhí na glaonna déanta, thit tost ar an seomra. Fiú Rio, ní dhearna sé iarracht rud ar bith greannmhar ar rá. Bhí gach duine sáraithe ag an tubaiste.

"Tá brón orm nach raibh mé in ann an troid a stopadh," arsa Cara faoi dheireadh. "Bhí scanradh orm. Is fuath liom troid."

"Thóg sé tamall fada ort teacht ar ais go dtí an doras le Lupita," arsa Evan, agus fearg ag teacht arís air.

"Bhí sí thuas staighre. Bhí na ceamaraí múchta agus ní fhaca mé cá raibh sí. Agus ansin bheartaigh mé go gcuirfinn an ceamara os cionn an dorais tosaigh ar siúl."

"Ach cén mhaith sin?"

"Beidh físeán agat le taispeáint do na gardaí. Nuair a thuig Crúb go raibh fianaise ar an gceamara den bhulaíocht a rinne sé, thug sé an t-uaireadóir ar ais dom." D'fhéach Cara ar an mbeirt eile, a haghaidh bhán ag stánadh orthu ón dorchadas. "Tá bron orm. Rinne mise praiseach de gach rud. Ach bhí tusa go hiontach, a Rio. Chonaic mé ar an gceamara thú."

Go hamhrasach a d'fhreagair Rio í. "D'ordaigh tú an píotsa ón áit ina bhfuil Scrogall ag obair. Conas a bhí a fhios aigesean go raibh Evan i do theach?"

"Níl a fhios agam. Ach b'fhéidir . . ." Ag cogarnaíl

a bhí Cara anois. "Chuaigh mé ar an ríomhaire inné lena fháil amach cad a bhí á rá ag Péist faoi Evan. B'fhéidir gur éirigh le Péist haiceáil a dhéanamh orm ina dhiaidh sin."

"Bíonn sé ag sliodarnach thart ar an idirlíon ceart go leor," arsa Evan go nimhneach, "agus ag aimsiú teachtaireachtaí idir daoine."

"Agus Scrogall?"

"Ní raibh aon tuairim agam go raibh sé ag obair sa siopa píotsa. Ní bhímse ag siúl timpeall i mBaile an Chuain. Tugann Lupita go dtí an leabharlann agus go dtí rang ceoil mé. Bím anseo sa bhaile an chuid is mó den am. An lá a chas mé leatsa ar an mbus, a Evan, b'in an chéad uair dom taisteal ar an mbus le Lupita."

Chuala Evan an brón agus an t-uaigneas sa chaint a rinne Cara. Níor fhoghlaim sí i gceart riamh cad is caradas ann. Bhí trua aige di ach ba dheacair muinín a chur inti arís.

"Dúirt tú go n-inseodh tú rud éigin dom faoin gcluiche?" ar sé go ciúin.

D'fhéach Cara ó dhuine go duine. "Fuair mé amach go bhfuil gnó salach ar siúl ag Mega." Lean sí uirthi go faichilleach. "Sin an fáth gur chuir mé na teachtaireachtaí sa chluiche."

Ba bheag nár léim Evan ina sheasamh. Bhí a shúile ar leathadh. "Tusa a rinne é? Tusa a bhí ag haiceáil?"

Chroith Rio a cheann. "Dúirt mé leat é, a Evan. Chuir mé fainic ort cúpla uair."

"Ach cén fáth, a Chara?" arsa Evan. "Tá do dhaid i gceannas ar Mega, nach bhfuil? Má tá gnó salach ar siúl ag daoine sa chomhlacht, nach bhféadfá . . . ?"

"Tá m'athair páirteach sa ghnó salach. Ní raibh a fhios agam cad eile a dhéanfainn. Cén fáth gur comhlacht mór mega é Mega, dar libh? Bíonn siad ag bulaíocht ar chomhlachtaí beaga, sin an fáth. Teastaíonn uathu Splanc a cheannach chun go gceapfaidh an saol mór gur comhlacht deas é Mega, comhlacht a thugann aire don timpeallacht."

"Ach ní thuigim fós cad atá i gceist agat," arsa Evan. "Dúirt tú sa chluiche go bhfuil Mega contúirteach . . ."

Chorraigh Lupita agus shocraigh Cara an phluid a bhí timpeall uirthi. Tharraing Evan tuáille thart air féin. Bhí sé ar crith leis an bhfuacht. Cé chomh fada eile a bheidís ag fanacht leis an otharcharr?

"Tá taifeadadh agam ar an bhfón," arsa Cara. D'fhéach sí thart uirthi sa mharbhsholas. "Ach níl a fhios agam cá bhfuil an fón. Tharla gach rud chomh tobann sin . . ." Chuir sí a lámha ar a súile. Nuair a d'ísligh sí iad, rinne sí impí orthu den dara huair. "An mbeidh sibh in ann cabhrú liom arís? Caithfimid tuilleadh eolais a fháil faoin ngnó salach agus stop a chur le Mega. Le bhur dtoil . . ."

Ní raibh a fhios ag Evan cén freagra a thabharfadh sé uirthi. Bhí sé féin trí chéile ag imeachtaí an tráthnóna. Bhí an saol mór níos deacra ná aon chluiche a d'imir sé riamh. Cad a tharlódh dá mham agus do Splanc dá ndéanfaidís trioblóid do chomhlacht ollmhór Mega? Bhí Splanc beag bídeach agus na billiúin euro ag Mega.

Caibidil a Cúig Déag

Bhí Baile an Chuain fós trí chéile iarnóin Dé Céadaoin. Go tobann, tubaisteach a tháinig an stoirm anuas orthu tráthnóna Dé Luain. Bhí a fhios ag muintir an bhaile go raibh drochaimsir ag teacht arís eile. Ach ní raibh coinne dá laghad acu le sciorradh talún; taobh an chnoic ag imeacht le fána, ag réabadh trí thithe agus trasna bóithre agus síos trí lár an bhaile.

Bhí crainn leagtha agus bóithre briste. Idir an leabharlann agus an t-ollmhargadh, rinneadh poll sa bhóthar a bhí chomh mór go slogfaí leoraí inti. Scuab uisce na habhann isteach sna tithe go léir ag bun an bhaile. Níor chuir na málaí gainimh stop leis an tuile. Bhí an t-uisce chomh hard le bord na cistine i dteach Rio. Tháinig salachar agus láib leis an uisce, a d'fhág boladh lofa sna tithe nuair a d'ísligh an tuile. Bhí pictiúir den scrios le feiceáil ar nuacht na teilifíse.

Uair an chloig go leith a bhí Lupita agus an triúr

óg ag fanacht leis an otharcharr chun Lupita a thabhairt chuig an ospidéal. Níor shroich Evan agus Rio an baile go dtí a deich a chlog san oíche. In óstán a d'fhan Cara, a hathair agus fear céile Lupita an oíche sin. Bhí an scoil dúnta Dé Máirt agus Dé Céadaoin agus saighdiúirí ón arm ag cabhrú le muintir an bhaile leis an obair ghlantacháin.

"Seo libh anois, just a bit of ciúnas, an gcloiseann sibh mé?"

Bhí Rio ag tabhairt aire don chúpla óg iarnóin Dé Céadaoin. Chas Evan leo ag Caifé an Chuain. Bhí an spéir íseal ach ní raibh sé ag cur báistí. Fuair siad bord in aice na fuinneoige, a thug radharc dóibh ar uiscí dorcha an chuain. Chonaic siad iascairí ag scrúdú a gcuid bád go himníoch, féachaint cén damáiste a rinneadh. Bhí siopa beag leabhar in aice leis an gcaifé ina raibh boscaí á líonadh de na leabhair a scriosadh.

"Chríochnaigh mé Leibhéal a Trí den chluiche," arsa Evan. "Dhá cheann fágtha le déanamh."

"So cad é an téama ag Leibhéal a Ceathair?" Bhí a lámh ag Rio ar an mbugaí agus é á bhrú anonn is anall.

"Athrú aeráide, creid nó ná creid é. Tá an domhan trí chéile ag stoirmeacha agus tinte foraoise agus tubaistí eile. Tá na milliúin daoine gan dídean."

"You mean, cosúil liomsa agus mo mhuintir." Chuir Rio grainc air féin leis na leanaí. "Táimidne gan dídean, nach bhfuil, agus muid go léir brúite isteach i dteach m'aintín? Agus níl airgead ag mo thuismitheoirí an teach a chóiriú. Same old seanscéal, na daoine bochta níos boichte ná riamh."

Go héadrom a dúirt Rio é, ach thuig Evan go raibh a chara buartha faoin scrios ar a theach. Ní raibh sé chomh gealgháireach is a bhíodh de ghnáth. D'inis sé d'Evan go mbeadh air cabhrú lena thuismitheoirí níos minice. Cheap a mham go dtabharfadh an rialtas roinnt airgid dóibh, ach bhí amhras ar a dhaid faoi sin.

"Tá mo rothar fós i bhfolach taobh amuigh de gheata Chara," arsa Rio ansin. "Hope nach ngoidfear é. Tá mo dhaid agus mo mham chomh gafa le gach rud eile go gcreideann siad go raibh mé ar cuairt ortsa an whole tráthnóna sin."

"Cheap mise go mbeinn i dtrioblóid uafásach sa bhaile," arsa Evan. "Ach creideann mo dhaid gur thug mo mham cead dom dul chuig teach Chara, agus tá mo mham chomh buartha faoina post le Splanc nár cheistigh sí mé. Ní raibh sí pioc sásta leis an méid a dúirt Mega ag an gcruinniú tráthnóna Luain."

Lig duine de na leanaí béic láidir agus tháinig béic níos láidre fós ón dara leanbh. Chaith Rio tamall á gciúnú agus d'ól Evan bolgam den líomanáid a cheannaigh sé. Thosaigh sé ag smaoineamh ar an gcluiche, agus na roghanna a bhí le déanamh chun sárú ar an athrú aeráide. Gual, ola agus gás a fhágáil sa talamh, mar go raibh siad róchontúirteach don chine dhaonna. Painéil ghréine a chur ar gach scoil, leabharlann agus ionad spóirt, agus airgead le fáil acu ón ngrianchumhacht. Busanna leictreacha i ngach baile beag agus mór in Éirinn. Foraoiseacha nua a chur ag fás chun an charbóin san aer a shú isteach. Móin a fhágail sna portaigh ar an gcúis chéanna.

Bhí na roghanna suimiúil, dar leis, ach bhí an cluiche féin ag cur isteach air. Má bhí gnó salach ar siúl ag Mega, níor cheart dó féin agus Rio páirt a ghlacadh sa chomórtas. Agus nuair a d'inis sé do Shíofra faoin téama a fuair sé ag Leibhéal a Ceathair, thosaigh sí ag gáire. Ná bac le SÁRÚ, ar sí, ach féach an scrios a rinne an stoirm.

Bhí Evan idir dhá chomhairle faoin gcomórtas. D'fhéach sé amach fuinneog an chaifé agus é ag machnamh air. Bhí iontas air Cara a fheiceáil ag druidim leis an doras. Chuir sé trí nó ceithre théacs chuici ach níor fhreagair sí é. Bhí eagla air gur briseadh a fón póca sa stoirm.

Tháinig fear isteach an doras in éineacht le Cara. Bhí cóta bogliath agus scairf dhearg air. Damian a bhí ann, athair Chara. Chlaon sé a cheann i dtreo Evan agus Rio. Chas siad leis ag an teach oíche Dé Luain tar éis don otharcharr imeacht. Cheap Evan go labhródh sé leo anois, ag fiafraí conas mar a bhí siad agus ag gabháil buíochais leo arís. Ach d'imigh Damian amach gan focal.

"Tá cead agam fanacht anseo cúig nóiméad déag," arsa Cara agus í ag suí síos go tapa. "Beidh m'athair lasmuigh sa ghluaisteán ar a ríomhaire."

"Guess go gceapann sé nach cairde deasa sinn," arsa Rio de gháire.

"An eagla a bhíonn air i gcónaí ná fuadach." Chroith Cara a ceann go míshásta. "Sin an fáth go mbíonn Lupita liom de ghnáth. Tá sé amaideach, dar liomsa, ach is dócha go bhfuil Mega an-saibhir agus go mbeadh orthu a lán airgid a íoc chun mé a shaoradh."

"So fuair tú an fón a bhí caillte agat?" a d'fhiafraigh Evan. "Agus cad faoin bhfíseán . . . ?"

Bhí aird Chara ar an gcúpla óg. Bhí siad ag ciceáil a gcos agus ag tarraingt ar ghligíní a bhí crochta ar an mbugaí.

"Ní fhaca mé riamh . . ." D'fhéach Cara ar Rio agus a súile ar leathadh. "Chonaic mé leanaí ar an idirlíon agus ar an teilifís. Ach ní fhaca mé sa saol mór riamh iad. Agus cúpla!"

"Cúpla rógaire!" Sméid Rio a shúil léi. "Double trouble, creid uaim é."

Rinne Cara meangadh cúthaileach le Rio. Tháinig gliondar agus éad ar Evan san am amháin. Ba bhreá leis go réiteodh Cara go maith lena sheanchara, ach go réiteodh sí níos fearr fós leis féin. Bhí mothúcháin aige le déanaí nár thuig sé. Ach dúirt sé leis féin cur suas leis sin. Ní raibh an saol simplí, socair mar a bhíodh.

"An bhfuil Lupita ceart go leor?" a d'fhiafraigh sé. Bhí an t-am ag imeacht cheana agus a lán le plé acu le Cara.

"Táimid ag dul go dtí an t-ospidéal inniu."

Thiontaigh Cara ón gcúpla. "Bhíomar ag an teach ar maidin. Bhí m'fhón thuas staighre, ní raibh sé fliuch ná tada. Tá an cadhnra an-íseal ach má chuirim an físeán chugaibhse, beimid in ann féachaint air. "

Bhí Evan agus Rio ar bís a fháil amach cén gnó salach a bhí ar siúl ag Mega. Mhínigh Cara go raibh sí ag faire oíche amháin ar na taifeadtaí a rinne ceamaraí an tí. Bhí na taifeadtaí stóráilte ar an ríomhaire in oifig a hathar. Bhí cruinniú ar siúl sa teach an tráthnóna roimhe sin idir a hathair agus daoine eile a bhí ag obair do Mega. Bhí comhrá ar siúl acu ag doras an phasáiste ghloine agus an ceamara ar siúl.

Beidh Mega i dtrioblóid go luath, a dúirt fear amháin, *má chloiseann na custaiméirí cén dochar atá á dhéanamh don timpeallacht.*

Ní chloisfidh siad faoi, geallaim daoibh, a dúirt Damian. *Agus táimid chun Splanc a cheannach, nach bhfuil? Tá Splanc ag pleanáil rudaí iontacha don timpeallacht agus creidfidh daoine an scéal céanna faoi Mega.*

Ansin labhair an tríú duine, bean a raibh guth bog milis aici. *Brandáil atá ann*, ar sí. *B'fhéidir nach dtógfar na cosáin ghréine sin go deo, ach chomh fada is atá branda deas glas ag Splanc, beidh gach rud i gceart.*

Rinne Damian mionghháire mór léi. Ní raibh fonn air éisteacht leis an bhfear eile ag labhairt faoi dhochar don timpeallacht.

Cabhróidh branda Splanc le branda Mega, arsa an bhean de gháire. *Agus táimid ag ceannach comhlachtaí deasa cosúil le Splanc i dtíortha eile, ar ndóigh.*

Cabhróidh an cluiche nua linn freisin, arsa Damian. *Is breá leis na himreoirí na fíorthascanna. Is cuid eile den bhrandáil é sin, ar ndóigh, go bhfuil Mega ag cabhrú le daoine fadhbanna móra an domhain a réiteach.*

"Tá focal ar an mbrandáil sin," arsa Rio. "'Greenwash', sin a thugtar air. Rud beag deas a dhéanamh chun rud mór gránna a cheilt."

"Ach cén dochar a bhí i gceist acu?" a d'fhiafraigh Evan de Chara. Bhí an-áthas air nach i gcaifé an Mega-Spórt a chas siad lena chéile. "Tá Mega go mór ar son na haclaíochta agus na sláinte, nach bhfuil?"

"Deir siad go bhfuil, cinnte." Thug Cara spléachadh i dtreo na fuinneoige chun a chinntiú nach raibh Damian ar a shlí ar ais. "An deacracht mór ná nach bhfuil a fhios agam fós cén dochar é. Sin an fáth gur chuir mé na teachtaireachtaí sa chluiche. Bhí sórt súil agam go mbeadh daoine fiosrach agus go ndéanfaidís an taighde." Chroith sí a guaillí. "Ach níor éirigh go maith le mo phlean."

"Labhair mé le mo dheirfiúr Síofra oíche Dé Luain," arsa Evan. "Tá sí an-ghnóthach lena togra eolaíochta, ach tá sí go hiontach ag cuardach eolais . . ."

Ghearr Rio isteach air. "Cén fáth nár inis tú an scéal ar fad dúinn ón tús?" ar sé le Cara. "Bhí Evan cairdiúil leat, nach raibh? Agus ní duine seriously scanrúil mise ach oiread."

Chroch Cara a ceann agus bhí eagla ar Evan nach bhfreagródh sí an cheist. Ach nuair a thóg sí a ceann arís, d'fhéach sí idir an dá shúil orthu. "Ní raibh mé in Éirinn ach cúpla mí, tá's agaibh. Ní raibh mé in ann muinín a chur in aon duine. Fiú nuair a dúirt Evan gur mhaith leis teacht ar cuairt . . ."

"You mean, nuair a dúirt sé gur mhaith leis an mbeirt againn teacht ar cuairt," arsa Rio go docht.

"Ní raibh Lupita sásta leis sin. Ba leor go dtiocfadh cara amháin ar cuairt, a dúirt sí. Bhí imní uirthi go dtosódh sibh ag pleidhcíocht leis na ceamaraí agus go dtuigfeadh m'athair go mbímse ag útamáil leo." Lig Cara osna. "Bheadh saol uafásach ar fad agam gan Lupita. Caithfidh mé glacadh leis na rudaí a deir sí."

Bhí fón Evan ag bualadh. Síofra a bhí ann. D'éist sé go cúramach léi. Chuir sé roinnt ceisteanna uirthi. Ba chosúil go raibh siad ag caint faoi éadaí a dhéantar as ola. An togra eolaíochta, arsa Rio le Cara. Bhí sise ag faire amach an fhuinneog arís go himníoch.

"Léigh Síofra píosa an-spéisiúil ar an idirlíon," arsa Evan, nuair a tháinig deireadh leis an nglao. "Blag a bhí ann, a scríobh iriseoir i Vítneam. Cuireadh an blag suas ar shuíomh idirlín faoi chúrsaí timpeallachta."

Lig duine de na leanaí béic bheag, ach níor thug aon duine aird uirthi. Lean Evan lena chur síos. "Déantar éadaí Mega i Vítneam agus i dtíortha eile san Áise," ar sé, "cosúil le cuid mhór de na héadaí a cheannaímid, faoi mar a deir Síofra. Bíonn a lán déagóirí ag obair i monarchana Mega, a dúradh sa bhlag. Bíonn saol an-chrua acu, ag obair sé nó seacht lá na seachtaine ar airgead beag."

"Déan deifir le do scéal, a Evan," arsa Rio.

"Ní éadaí deasa sláintiúla atá ar díol ag Mega, is cosúil. Bhí déagóirí ag obair dóibh a d'éirigh tinn le déanaí. Ní i monarcha amháin a tharla sé ach i monarchana i dtíortha difriúla."

"Cén fáth nár smaoinigh mé air sin!" arsa Cara. "Chuala mé go bhfuil ceimiceáin nua in úsáid ag Mega. Cuirfidh mé geall gurb iad na ceimiceáin sin is cúis leis an tinneas?"

Bhí súile Evan ar lasadh. "Sin a dúradh sa bhlag-alt. Scrúdaigh dochtúir cuid de na déagóirí agus labhair sise leis an iriseoir. Ach bhí eagla ar na déagóirí gearán a dhéanamh. Dá gcaillfidís a bpost ní bheadh dóthain bia ag a muintir."

Thug Cara spléachadh i dtreo an dorais. Bhí scáil a hathar le feiceáil tríd an ngloine dhaite.

"Caithfimid an scéal seo a scaipeadh i gceart," ar sí go gasta. "Ach má tá tusa fós buartha faoi do mham, a Evan . . . ?"

"Labhróimid faoi ar scoil," arsa Rio. "Níos suimiúla ná na ranganna, ar aon nós."

"Cabhróimid leat," arsa Evan go docht. "Tá na déagóirí i Vítneam agus sna tíortha eile sin chomh tábhachtach linne." Chuir sé a lámh amach agus rug sé ar lámh Chara. Dhearg sé agus scaoil sé arís í go gasta. Labhair sé go híseal. "An gcuirfidh tú an físeán eile sin chugam freisin, a Chara? Taifeadadh an cheamara den ionsaí a rinne Crúb agus Scrogall orm? Ceapaim go bhfuil sé in am dom an scéal ar fad a insint do mo thuismitheoirí, maidir leis an mbulaíocht agus maidir le Mega freisin."

"Tá an t-ádh ort gur féidir leat sin a dhéanamh," arsa Cara. Chrom sí isteach i dtreo na leanaí sa bhugaí ach lig duine acu scread thobann. Sheas sí siar agus iontas uirthi faoin torann. D'fhéach sí ar an mbeirt eile, agus bhris meangadh uirthi gan choinne. Ní ar a béal amháin a bhí an meangadh ach ina súile dorcha.

Caibidil a Sé Déag

"Bhí mé ag labhairt leis na gardaí faoin mbeirt sin, Crúb agus Scrogall, mar a thugann sibh orthu. Bhí eolas ag na gardaí orthu cheana."

Bhí Evan agus Síofra sa seomra suite sa bhaile, agus Rio in éineacht leo. Gnáthsheomra a bhí ann, tolg compordach agus cathaoireacha uillinn, teilifíseán in aice an tinteáin, pictiúir de radharcanna farraige ar na ballaí. Gan díon triantánach ná troscán úrnua, ach é cosúil le formhór na seomraí suite eile sa cheantar. Seomra pas leamh, b'fhéidir, ach ó thug Evan cuairt ar theach Chara, bhí sé sásta le gnáthshaol, gnáthrudaí, fiú gnáthdhaoine.

A dhaid Tomás a bhí ag insint dóibh faoina chomhrá leis na gardaí. "Bhí Scrogall ag tiomáint gan cheadúnas," ar sé, "agus tabharfar os comhair na cúirte é dá bharr sin. Tá mé cinnte go gcaillfidh sé a phost sa siopa píotsa. Rug na gardaí air nuair a bhí sé féin agus Crúb ar a slí ar ais go Baile an Chuain oíche na stoirme. Bhí crann mór ar an mbóthar agus bhí siad i sáinn."

"Chuala mise gur rith siad ón veain nuair a chonaic siad na gardaí." Rinne Rio gáire croíúil. "Agus ansin gur thit Crúb ar a thóin i bpoll uisce, ochón mo bhrón."

"An bhfuil sé fós ag obair sa Mega-Spórt?" a d'fhiafraigh Evan dá dhaid, agus meangadh fós air faoi chaint Rio.

"Níl. Bhí an bainisteoir an-mhíshásta leis. Post páirtaimseartha a bhí ag Crúb, sin an méid, ach cheap sé go raibh sé féin i gceannas ar an Mega-Spórt. Agus nuair a thaispeáin mise don bhainisteoir an físeán a rinne Cara den troid lasmuigh dá teach, bhí uafás air."

D'fhéach Evan ar na marcanna a bhí fós ar a lámh chlé, coicís tar éis gur ghortaigh Crúb é sa troid. Ní raibh sé éasca an scéal a insint dá thuismitheoirí ach b'iontach an faoiseamh é sin a dhéanamh ar deireadh. Ní fearg is mó a bhí orthu faoi na bréaga a d'inis sé, ach díomá, agus chuaigh sin i bhfeidhm go mór ar Evan. Bhí siad an-bhuartha freisin faoin mbulaíocht agus gheall siad go gcuirfí stop léi. Ansin dúirt Tomás go raibh cuid den locht air féin. Ba chóir dó bheith níos airdeallaí ar Evan agus ar Shíofra nuair a bhí post mór nua ag Úna. Ach bhí sé róghafa lena ríomhaire féin agus róthuirseach sna tráthnónta. Cheap Evan go raibh sé deacair dá athair an méid sin a rá.

"Tá cailín i mo rang ina cónaí ar an mbóthar céanna le Crúb," arsa Síofra. "An scéal a chuala sise ná go bhfuil Crúb ag fágáil na tíre. Is fuath leis dul amach ar an mbóthar de bharr go mbíonn déagóirí agus páistí de shíor ag magadh faoi."

"Ach leanfaidh sé leis an mbulaíocht pé áit a rachaidh sé, déarfainn," arsa Evan go gruama.

"Ní dóigh liom go raibh saol ceart riamh ag Crúb sa bhaile," arsa Tomás. "Thuig mé ó na gardaí go mbíonn a thuismitheoirí de shíor sa teach tábhairne agus a athair ag troid le custaiméirí eile." Chroith sé a cheann go brónach. "Níl sé éasca na cúrsaí seo a athrú, is trua a rá."

"Ach guess cad atá ar siúl ag Péist?" Bhí súile Rio ag rince arís eile. "Cuireadh tús le club nua thíos sa seanbhaile seachtain ó shin, chun cabhrú linn tar éis na stoirme nó pé rud é. Club códúcháin atá ann, agus tháinig Péist isteach tráthnóna Dé Máirt chun obair leis na kids óga. Múinfidh sé na cleasanna go léir dóibh for sure."

"Is cladhaire é, ach is dócha nach bhfuil sé chomh dona leis an mbeirt eile," arsa Evan. "Tá mé measartha cinnte nár chuir sé na pictiúir a thóg sé in airde ar an idirlíon riamh."

Thug Tomás gloiní sú agus plátaí brioscaí isteach ón gcistin. Dé Sathairn a bhí ann agus bhí siad ag fanacht leis an gclár nuachta ar an teilifís ag am tae. Thug Evan cathaoir bhreise isteach nuair a chuala sé cnag ar an doras. Cara a bhí ann. Bhí fear céile

Lupita in éineacht léi ach ní thiocfadh sé isteach. Bhí sé cúthaileach, a mhínigh Cara, agus b'fhearr leis suí sa ghluaisteán. Bhí Lupita tagtha as an ospidéal ach bhí sí fós ag teacht chuici féin.

"Tá mé an-sásta teacht ar cuairt oraibh," arsa Cara le hEvan. Shuigh sí ar uillinn an toilg in aice leis. "Is fíorthasc domsa é, tá's agat, bheith ag foghlaim mar a chaitheann déagóirí eile a saol."

"Cad a dhéanfaidh tú má tá Mega i dtrioblóid? An mbeidh tú in ann fanacht in Éirinn?"

"Níl a fhios agam," arsa Cara. "Tá m'athair ar buile gur tháinig an scéal amach. Ba mhaith liom a rá go bhfoghlaimeoidh sé ceacht agus go mbeidh tuairimí difriúla aige. Ach ní chreidim é. Ní bhíonn an locht air féin riamh, dar leis."

"An mbeadh Lupita agus a fear in ann aire a thabhairt duit leo féin?"

"Níl mórán airgid acu. Ach b'fhéidir go dtiocfaidh mo mham go hÉirinn."

"An i Meiriceá atá sí ina cónaí?" a d'fhiafraigh Evan go cúramach.

Chrom Cara a ceann agus labhair sí leis an urlár. "Bhí sí tinn. Bhí dúlagar uirthi le bliain anuas. Níor thuig mise cad a bhí ag tarlú. Deir sí go bhfuil biseach ag teacht uirthi ach nílimid cinnte fós."

Chuir Tomás an teilifíseán ar siúl. Deich lá roimhe sin, chuir Cara an físeán ón ríomhaire ina teach in airde ar YouTube. Chuir sí nasc leis don alt a d'aimsigh Síofra faoi na déagóirí a d'éirigh tinn.

Thosaigh iriseoirí i dtíortha difriúla ag cur crua-cheisteanna faoi Mega. Dúirt grúpa dochtúirí gur cheart na monarchana a dhúnadh agus tástáil nua a dhéanamh ar na ceimiceáin. D'imigh athair Chara, Damian, go Nua-Eabhrac ar feadh trí lá chun freastal ar chruinniú práinne in ardoifig Mega. In Éirinn, tháinig tuairisceoirí go Baile an Chuain chun an scéal a fhiosrú. Bhí agallamh le cur ar Úna ar an gclár nuachta.

Thit tost iomlán ar an seomra suite nuair a taispeánadh lógó Mega ar an scáileán. Ar bhloc mór oifigí i Nua-Eabhrac a bhí an lógó. Ansin chonaic an lucht féachana sráid i Vítneam, agus slua mór ar rothair agus ar ricseánna. Taispeánadh ceantar gnó agus geata ard a bhí faoi ghlas. Dúirt guth an tuairisceora go raibh monarcha le Mega ar chúl an gheata ach nár ceadaíodh dóibh dul isteach.

Go tobann bhí Damian le feiceáil i spórtcharr glas. Bhéic Síofra amach gur i gcarrchlós Splanc a bhí sé. Sa chéad radharc eile, bhí sé ina sheasamh ag doras Splanc agus iriseoirí ag brú mícreafón air. *Ní thuigim cé a rinne an haiceáil ar mo ríomhaire baile,* ar sé. *Ach tá naimhde ag Mega i gcomhlachtaí móra eile.* Thiontaigh sé a dhroim leis an gceamara ach cuireadh tuilleadh ceisteanna air. *Ní raibh eolas agam ar an tinneas i Vítneam,* ar sé go mífhoighneach. *Agus níl cruthú ar bith ar na scéalta seo atá ar an idirlíon.*

Taispeánadh Baile an Chuain ansin – an calafort agus an droichead sa seanbhaile. Bhéic Rio amach go bhfaca sé a theach féin ar feadh soicind amháin. Labhair an tuairisceoir faoi na tuilte móra a rinne scrios ar an mbaile. Bhí eagla ar mhuintir na háite nach gcruthófaí na postanna nua a gheall Mega. Sheas an tuairisceoir taobh leis an gcosán gréine i gclós Splanc agus mhínigh sí an plean a bhí ag an gcomhlacht.

Ansin bhí Úna ar an scáileán, ag obair ag a deasc sa seanfhoirgneamh. Bhí dath buí ar bhrící loma an bhalla agus lógó Splanc ar scáileán a ríomhaire.

Táimid buartha faoin scéal seo, ar sí. *Ach táimid dóchasach freisin. Is gnó mór é an fuinneamh glas anois*. Labhair sí go soiléir, diongbháilte. *Agus tá rud amháin cinnte. Má tá na tuairiscí faoi na déagóirí san Áise fíor, nílimid sásta dul ag obair le Mega. Is uafásach an rud é bulaíocht agus bréaga in aon áit ar domhan.'*

Bhris bualadh bos amach sa seomra suite nuair a bhí an píosa thart. Mhúch Tomás fuaim na teilifíse agus ghlaoigh sé ar a bhean chéile. Bhí gach duine ag caint san am céanna. An chéad rud eile, shín Cara a méar i dtreo na fuinneoige. Bhí an ghrian ag lonradh ar imeall na scamall. D'fhéach an slua ar a chéile agus phléasc siad amach ag gáire. An chéad léas gréine a chonaic siad i mBaile an Chuain le mí anuas.

Chuir Evan a lámh ina phóca agus thóg sé amach an t-uaireadóir cliste. Leag sé ar an mbord é agus d'fhéach sé thart ar a mhuintir agus a chairde.

"Nílimid chun SÁRÚ a chríochnú," ar sé.

"Thaitin an cluiche linn, ach is cleas margaíochta do Mega é, sin an méid."

"Och ochón an comórtas," arsa Rio. Sméid sé súil go gealgháireach. "Anyways, tá mise ag fanacht go dtí go mbeidh time travel sna cluichí. Beidh mé ag súil go mór na cinn sin a thástáil."

Thóg Síofra an t-uaireadóir agus scrúdaigh sí é. "Seift chliste ab ea SÁRÚ ach bhí roinnt rudaí ann nár thaitin liomsa. Bhí rogha le déanamh ag gach leibhéal idir freagraí éagsúla ar na fadhbanna móra. Ach ní freagra amháin atá ar an athrú aeráide, ná an plúchadh plaisteach, ná paindéimeanna. Ní rud simplí amháin a chaithfear a dhéanamh chun sárú ar na fadhbanna sin, ach na céadta rudaí difriúla." Bhí sí bródúil as labhairt go críonna ar an ócáid seo. "Tá an saol inár dtimpeall i bhfad níos casta ná an saol sna cluichí."

Go ciúin cúthaileach a d'fhreagair Cara í. "Níl ann ach an t-aon saol amháin sa deireadh. Agus má bhíonn an t-ádh orainn, is saol draíochtúil é."

Gluais

Caibidil a hAon

sotalach	*arrogant, full of himself*
ar bís	*impatient, on tenterhooks*
sárú	*overcome, surpass, outdo, thwart*
spochadh as	*annoy, pester*
dá sciobfaí	*if it was snatched, nabbed*
fuarchúiseach	*coldhearted, uncaring*
comhlacht	*company, business*
splanc	*spark, flash*
shrac sé	*he pulled sharply, he tore*

Caibidil a Dó

greim docht	*a firm grip*
bhí náire air	*he was ashamed*
sonc	*a nudge, poke*
go pras	*at once, right now*
nimh	*poison, viciousness*
glugar gáire	*gurgling laugh*
ag sileadh	*dripping, trickling*
chlaon sí a ceann	*she nodded*
go grod	*sharply, abruptly*
cluasa bioracha	*pointed ears*
teifeach	*refugee*
bhí mearbhall air	*he was confused, bewildered*
chroith sí a guaillí	*she shrugged, she shook her shoulders*
fonn	*desire, wish, mood*

Caibidil a Trí

scáthlán	*bus shelter*
grainc	*frown, grimace*

go gealgháireach	*cheerfully*
pus ceart	*a really sulky look*
glib ghruaige	*fringe, lock of hair*
chuimil sé an t-allas	*he wiped the sweat*
in aimhréidh	*tangled, messed up*
ghéill Evan	*Evan gave in, yielded*
meangadh	*smile*
paindéim	*pandemic, huge epidemic of sickness*
go críochnúil	*thoroughly, correctly*
réchúiseach	*easygoing, laid-back*

Caibidil a Ceathair

cantalach	*cranky, complaining*
togra eolaíochta	*science project*
fuinneamh glas	*green energy*
imreoir	*player*
meáin shóisialta	*social media*
gléasra	*equipment*
painéil ghréine	*solar panels*
go díograiseach	*enthusiastically, diligently*
ginfear leictreachas	*electricity will be generated*
lig sí osna	*she sighed*
athrú aeráide	*climate change*
tubaistí	*disasters*
naimhde	*enemies*

Caibidil a Cúig

sa tóir ar	*pursuing, chasing*
misniúil	*courageous, brave*
roghchlár	*menu*
a ghiollaí	*his lackeys, his helpers*
bagarthach	*threatening*
teolaí	*warm and cosy*
a thachtadh	*to strangle*
go nimhneach	*painfully*

scrogallach	*long-necked, scrawny*
d'fháisc sé	*he squashed, he squeezed*
maistíní	*ruffians, bullies*

Caibidil a Sé

go faichilleach	*warily, carefully*
feamainn	*seaweed*
taifeadadh	*recording*
chorraigh sí	*she moved, stirred*
míol mór	*a whale*
spraíúil	*playful, fun*
clúidín linbh	*baby's nappy*
brocach	*filthy, very dirty*
ródhiúltach	*too negative*
bogearraí	*software*

Caibidil a Seacht

leadránach	*boring*
uaigneach	*lonely*
chomharthaigh sé	*he indicated*
go hamhrasach	*doubtfully*
slachtmhar	*tidy*
éad	*jealousy*
dúlagar	*depression*
ag sliodarnach	*slithering, sliding around*

Caibidil a hOcht

eochair	*key*
ag clagarnaíl	*clattering*
cladhairí	*villians, rogues, cowards*
ina gcnap	*in a heap*
ina bpollairí	*in their nostrils*
spléachadh	*a glance, a quick look*
cithfholcadán	*shower cubicle*
cigilt i scornach Evan	*a tickle in Evan's throat*
mallacht	*a curse*

matáin	*muscles*
sciorr	*slipped, skidded*
liú áthais	*a cry / shout of joy*
údarásach	*with authority, commanding*
scáileanna	*shadows, reflections*

Caibidil a Naoi

stuama	*sensible*
suaite	*upset, agitated*
go críonna	*wisely, knowledgeably*
á alpadh	*gobbling down*
ag leá	*melting*
faoi thinte foraoise	*about forest fires*
praiseach	*a mess*
dallamullóg a chur orainn	*to hoodwink us, to fool us*
sméid sé súil	*he winked*
seift	*idea for solving a problem*

Caibidil a Deich

scéal práinne	*urgent news, an emergency*
dul thar bruach	*overflow, break its banks*
bhí sceitimíní air	*he was very excited*
ag doirteadh agus ag stealladh	*pouring and pelting down*
ag búiríl	*roaring, bellowing*
rúitíní	*ankles*
málaí gainimh á gcarnadh	*sandbags being piled up*
i sáinn	*stuck, trapped, in a fix*
bhí gliondar air	*he was glad, happy*
tuile (tuilte)	*flood (floods)*
cumhacht	*power*
go gruama	*gloomily*
smidiú	*make-up*
coinnigh do mhisneach	*keep up your spirits, stay brave*

Caibidil a hAon Déag

an cosán trialach	*the trial pathway*
ag scaladh	*blazing*
á radú	*radiating*
nuálach	*innovative, in a new way*
cadhnra	*battery*
ag plódú	*crowding*
go diongbháilte	*firmly, decisively*
tograí grianchumhachta	*solar power projects*
go síodúil	*smoothly, like silk*
fionnadh	*fur*
a chur in aithne	*to introduce*

Caibidil a Dó Dhéag

thug sé le fios	*he gave the impression*
faoi scáth na gcrann	*shaded by trees*
dealbha miotail	*metal statues, pieces of sculpture*
logán	*hollow between hills*
ag gobadh amach	*sticking out*
do mhéarlorg	*your fingerprint*
i ngan fhios dó	*unknown to him*
eagarthóireacht	*editing*
muinín a chur ionat	*to trust you*
intleacht shaorga	*artificial intelligence*
cróga	*brave*
agallamh	*interview*

Caibidil a Trí Déag

gan trócaire	*without mercy*
fainic	*warning*
locht	*blame, fault*
i bhfaiteadh na súl	*in the blink of an eye*
bhain sé geit as	*he gave him a fright*
taos píotsa	*pizza dough*
leacht	*liquid*
ag gliúcaíocht	*peering*

ag sárú ar a chéile	*outdoing each other*
doirn	*fists*
splanc thintrí	*flash of lightning*
buille toirní	*thunderbolt*
gan choinne	*unexpectedly, without warning*
á scoilteadh agus á réabadh	*splitting and ripping apart*
díle	*deluge, torrent*
trup	*noise, din*

Caibidil a Ceathair Déag

millteach	*enormous*
láib	*mud*
sciorradh talún	*landslide*
treoracha ar líne	*online instructions*
pluideanna	*blankets*
stróicthe	*torn*
sáraithe ag an tubaiste	*beaten, worn out by the disaster*
fianaise	*evidence*
sa mharbhsholas	*in the half-light*

Caibidil a Cúig Déag

gan dídean	*homeless*
bolgam	*sip, mouthful*
a shú isteach	*to absorb*
móin a fhágáil sna portaigh	*leave the peat / turf in the bogs*
idir dhá chomhairle	*in two minds, unsure*
fuadach	*kidnapping*
dochar	*damage, harm*
monarcha	*factory*
cuirfidh mé geall	*I'll bet*

Caibidil a Sé déag

pas leamh	*a bit dull*
faoiseamh	*a relief*
chuaigh sin i bhfeidhm air	*it affected him, made an impression on him*

níos airdeallaí	*more attentive*
tuairisceoirí	*reporters*
léas gréine	*ray of sunshine*
plúchadh plaisteach	*suffocating amounts of plastic*

Nóta buíochais

Ba mhaith liom buíochas ó chroí a ghabháil leis na daoine ar fad a chabhraigh liom *SÁRÚ* a scríobh. Is iontach na léitheoirí sibh agus chabhraigh sibh go mór liom feabhas a chur ar an scéal.

Léigh daltaí agus múinteoirí dréacht an scéil i mí Bealtaine 2017 agus roinn siad a gcuid tuairimí agus moltaí liom go fial: Rang a 5 agus a 6 ag Róisín Kehoe i nGaelscoil Inis Córthaidh agus Rang a 5 ag Lí-Nóra Ní Laighin i nGaelscoil Chluain Dolcáin.

Fuair mé moltaí an-spreagúla ó dhaoine eile freisin: Claire Dunne, Éadaoin Heussaff agus Ciarán Heussaff; agus ó Lochlainn Ó Tuairisg, eagarthóir Chló Iar-Chonnacht, a chuir an-stiúir ar an scéal nuair ba ghá é.

Tá mé fíorbhuíoch de gach duine ar fhoireann Chló Iar-Chonnacht as an obair chumasach a dhéanann sibh i gcónaí. Is le linn mo thréimhse bliana mar Scríbhneoir Cónaithe i gColáiste Phádraig agus in Ollscoil Chathair Bhaile Átha Cliath a thosaigh mé ar an scéal a scríobh, agus is mór an tacaíocht a fuair mé ó fhoireann na Gaeilge san am sin, mar aon le cúnamh páirtmhaoinithe ón gComhairle Ealaíon. Is ón spéis agus ón taithí dheonach atá agam leis an eagras Cairde na Cruinne in Éirinn a tháinig cuid de théamaí an scéil.

Anna Heussaff

Is é *Sárú* an tríú húrscéal do léitheoirí óga a scríobh Anna Heussaff. Bhí na príomhcharachtair chéanna in *Vortex* (Cois Life 2006) agus in *Hóng* (Cló Iar-Chonnacht 2012). Cuireann sí ceardlanna scoile ar fáil faoi scáth scéimeanna éagsúla, ina measc scéim Scríbhneoirí sna Scoileanna (WIS) atá á riar ag Éigse Éireann.

Foilsíodh trí úrscéal bleachtaireachta do léitheoirí fásta léi: an ceann is déanaí ná *Scáil an Phríosúin* (Cló Iar-Chonnacht 2015). Is úrscéal grá d'fhoghlaimeoirí fásta é *Cúpla Focal* (Cois Life 2007). Bronnadh mórdhuais i gComórtais an Oireachtais ar fhormhór a cuid úrscéalta; agus bronnadh Gradam Speisialta na Moltóirí ar *Hóng* ag duaiseanna Leabhair Pháistí Éireann / CBI 2013.

Tá cónaí ar Anna Heussaff i mBaile Átha Cliath, áit ar tógadh le Gaeilge í. Chaith sí blianta ag obair ar chláir raidió agus teilifíse sular dhírigh sí ar an scríbhneoireacht.